하나님의 나라를 회복하는 경영행정 스토리

하나님의 나라를 회복하는 경영행정 스토리

백석대학교 기독교 경영행정학과 Miracle Add-Minister

대표저자 강태평

◗ 학력

백석대학교 기독교전문대학원 기독교행정학과 졸업(행정학 박사)

백석대학교 신학대학원 졸업(목회학 석사)

건국대학교 행정대학원 세무행정학과 졸업(행정학 석사)

한양대학교 상경대학 회계학과 졸업(경영학 학사)

◗ 경력

現 백석대학교 기독교전문대학원 경영·행정학과 전공지도 교수

現 베들레헴교회 담임목사

前 백석예술대학교 경영·행정학부 세무회계 겸임교수

◗ 저서 및 논문

기독교행정학, 기독교영성과행정, 리스세무회계처리에 관한 연구

갈등적 상황에서 담론적 정책분석의 유용성에 관한 연구

행정서비스의 기독교영성적 접근

정책분석의 담론적 방법론에 관한 연구

기독교세계관에 입각한 행정윤리의 확립방향

◗ 이메일

ktp0691@hanmail.net

공동저자

이대복 ‘작은도서관컨설팅전문가’

남양주시 작은도서관 협의회 초대 회장이자 오남소망교회 담임목사로서 작은도서관 설립, 마을공동체 설립, 경기도 교육청 이룸학교 설립 등 컨설팅 전문가로 활동

이상복 ‘한국교회세무행정전문세무사’

국세청 32년 근무한 세무사이자 목사로서 종교인과세, 교회 부동산 관련 세금, 교회와 공익법인관련 세금, 교회와 정관 등 한국교회 세무행정 전문가로 활동

김인숙 ‘목회교류분석상담전문가’

1998년부터 생명의전화 서서울센터에서 원장으로 근무, 자살 예방사업, 상담, 교육, 상담사례관리 등을 진행하며 경영과 행정을 담당. 국방부 군 상담위원, 정보사령부 상담위원, 자살 예방 특강 강사로 활동.

신재협 ‘기독교보호관찰행정가’

그루터기교회를 담임하고 학교 밖 청소년과 청년들을 만나며 미래를 세워가고, 꿈과 희망을 심어주고 가꾸어가는 과정을 도우며 열정을 다하는 인생의 멘토로 활동.

유학곤 ‘인생2막컨설턴트’

34년간 국가공무원으로 재직하며 얻은 실무지식과 경험을 바탕으로 학문 영역의 확장을 통해, 보다 의미 있는 제2의 인생길이 펼쳐지기를 꿈꾼다.

강성구 ‘기독교행복경영전문가’

2010년부터 평택시 서정동에서 개척교회를 운영하며 십자가 복음을 실천하고 전파하는 행동가이며 목사이고 지역사회 요양원, 주간복지센터 예배 인도자로 지인들 모두가 그리스도의 지체가 되길 소망한다.

심주형 ‘청소년사역전문가’

2016년부터 본격적으로 사역을 하면서 청소년부들을 더 사랑하고 품게 되었다. 이 땅의 모든 청소년이 주님을 통해 행복하게 되길 바란다.

추재영 ‘기독교마음경영전문가’

2012년도부터 10여 년간 전도사, 강도사, 목사로 한 교회에서 사역, 기독교 정신의 경영과 행정을 위해 백석전문대학원에서 박사 과정 중. 기독교 경영·행정을 넘어 학문 전 영역에 기독교 정신이 깃들기를 꿈꾼다.

김진호 ‘기독교대학행정전문가’

2011년부터 신한대학교에서 채플과 교수영성프로그램을 강의, 교목팀장으로 행정을 담당. 모든 미션스쿨에서 기독교 정신을 기반한 행정과 교육이 이뤄지기를 꿈꾼다.

백석대 기독교 경영행정학과
Miracle Add-Minister

하나님의 나라를 회복하는 경영행정 스토리

강태평 이대복 이상복 김인숙 신재협
유학곤 강성구 심주형 추재영 김진호

추천사

"하나님의 나라를 회복하는 경영행정 스토리"는 백석대학교 기독행정학과 박사과정 학생들의 감동적인 이야기를 담은 퍼스널 에세이입니다. 그 첫 번째 출판을 축하합니다. 각 저자들은 하나님의 은혜 아래에서 자신의 전문 분야에서 어떻게 성장하고 회복되었는지를 이야기로 풀어내고 있습니다. 이 책은 저자들의 겸손한 심성과 하나님을 의지하는 과정을 통해 무엇이든 가능하다는 하나님의 메시지를 전하며, 독자들에게 큰 용기와 소망을 안겨줄 것입니다.

각 저자는 자신만의 전문 영역에서 하나님의 능력과 인도하심을 체험하며 성장했습니다. 이들의 경험을 통해 독자 여러분은 각자의 삶과 미래에 대한 영감과 깨달음을 얻을 수 있을 것입니다. 이 책의 목적은 저자들의 경험을 통해 하나님의 사랑과 능력을 나누어 주는 것뿐만 아니라, 독자들에게 더 큰 의미를 찾게끔 격려하는 것입니다.

저자들은 글을 통해 자신의 한계와 부정적인 감정들을 솔직하게 고백합니다. 세상에서 마주하는 모든 문제와 어려움을 하나님의 은혜와 소망을 통해 극복하고자 하는 의지를 보여주고 있습니다. 이 책을 읽으며 자기 성찰의 기회와 각자의 한계를 극복하고 더 나은 삶을 살아가기 위한 영감을 얻을 수 있을 것입니다.

이 공동 출판의 과정에서 저자들이 글을 쓰면서 각자의 교만과 자만을 깨우치고, 모든 것이 하나님의 은혜에 의존한다는 교훈을 얻고 있다는 사실을 보았습니다. 여러분은 이 책의 이야기들을 통해 하나님의 뜻에 순종하는 경영과 행정이 결국 하나님의 뜻을 이루는 결과로 이어진다는 것을 확인할 수 있을 것입니다.

이 책은 우리가 겪은 고난과 실수, 그리고 깨달음의 과정을 통해 하나님께서 우리 각자를 어떻게 세우셨는지를 보여주며, 독자들에게 더 나은 미래를 향한 소망을 약속할 것입니다. 이 책은 단순히 저자들의 이야기가 아니라, 하나님의 이야기입니다. 하나님께서 직접 여러분의 삶에 긍정적인 변화를 일으킬 것입니다. 누구나 어떤 상황에서든 하나님의 도움과 인도를 믿을 수 있습니다.

이 책을 집필한 백석대학교 기독교 경영행정학과 강태평 교수님과 원우들을 응원하며, 하나님의 경영과 행정이 이 글을 읽는 모든 독자의 삶을 다스리시기를, 이를 통해 독자 여러분의 삶의 모든 영역이 하나님의 나라로 회복되기를 축복합니다.

백석예술대학교
양병희 이사장

발간사

사회에는 수많은 전문 영역이 존재합니다. 우리 각자가 살아가는 삶의 영역은 모두 전문 영역이 될 수 있습니다. 다른 사람보다 더 많은 경험과 지혜, 지식을 쌓은 영역은 전문가로 도움이 필요한 사람들에게 영향을 끼칠 수 있는 무대가 될 수 있기 때문입니다. 영향력이 큰 분야의 전문가가 되기 위해, 그 영역의 초기 전문가를 선점하기 위해 세상은 치열하게 경쟁합니다. 자신이 전문가라는 사실을 증명하기 위해 자격증을 따고, 경력과 학력을 쌓고, 책을 출판하고 논문을 연구합니다.

이 모든 분야의 기반은 경영과 행정입니다. 경영과 행정이 연관되지 않은 분야가 없습니다. 이 사회의 경영과 행정은 세상의 가치관인 돈과 영향력을 추구합니다. 백석대학교 기독교 경영행정학과에서 학문을 쌓는 모든 대학원생(원우)은 수없이 펼쳐진 사회 영역을 지배하는 돈과 영향력이 아닌, 하나님 나라의 가치관 즉, 사랑과 희생이 세상을 경영하는 행정의 기초가 되도록, 먼저 하나님께서 나를 보낸 영역에서 하나님의 사랑과 희생을 실천해야 합니다. 이를 통해 우리가 거하는 실제 삶의 영역에서 하나님 나라를 회복하는 경영행정 스토리가 펼쳐질 수 있습니다.

백석대학교 기독행정학과 원우들이 각자의 삶에서 하나님께서 그분의 나라를 회복시킨 이야기를 묶어 책을 출판하기 위해 15주를 모였습니다. 강태평 교수님의 지도와 검수를 통해 동기부여가 되지 않았다면 시작도 하기 어려웠을 것 같습니다. 대다수가 첫 출판이고 인터넷 환경에 익숙하지 않은 원우들도 있어서 많은 어려움이 있었습니다. 각자의 경험 속에서 전문 영역을 정하고 책을 쓰는 목적과 독자를 선정하며 퍼스널 에

세이를 완성해가며 우리가 느낀 것은 겸손함이었습니다. 공동출판의 과정은 우리 각자가 자신이 선하고 의지도 강하고 지혜로운 사람이라고, 나는 글도 잘 쓰고 말도 잘한다고 생각했던 교만이 깨어지고 모든 것이 하나님의 은혜라는 사실을 배워가는 과정이었습니다. 서로를 위로하고 격려하며 하나님을 의지하지 않았다면 이 책은 출판되지 못했을 것입니다.

이 책은 우리들의 야망과 불만, 욕심과 교만, 두려움, 무지를 깨뜨리며 하나님의 전능하심을 깨닫게 해주신 은혜와 소망을 담은 이야기입니다. 그러므로 이야기의 주인공은 글을 쓴 저자들 각자가 아니라 하나님입니다. 우리가 겪은 고난과 실수, 깨달음의 과정을 통해 하나님께서 우리 각자를 하나님의 나라로 세우신 이야기들이 우리와 같은 영역에서 또 새로운 이야기를 만들어 나갈 독자들에게 위로와 지침이 될 것을 기대합니다.

백석대학교 공동출판 학회 대표

김진호 목사

서문

만물은 다 너희 것,
너희는 그리스도의 것,
그리스도는 하나님의 것

이 세상 모든 행정조직은 그리스도가 주인이십니다(고전3:21~23). 그리스도는 전능하신 주인이십니다. 그리스도께서는 능력자를 원하지 않으십니다. 오직 그리스도만 사랑하기를 원하십니다. 주인이신 그리스도의 능력만으로도 이 세상 모든 조직의 행정은 충분하기 때문입니다. 세상의 많은 행정조직은 사람의 독단과 판단오류로 인해 어려움을 겪는 경우가 많이 있습니다. 그러나 이 세상 모든 행정조직의 주인이신 그리스도는 그러한 오류가 있을 수 없습니다. 전능하시기 때문입니다. 그렇다면 나는 무엇을 해야 하는 사람일까요? 그리스도의 바람은 우리의 관심이 이 세상의 발전이나 성취나 과제에 쏠리는 것이 아니라 오직 모든 행정조직의 주인이신 그리스도 한 분에게만 주어지길 바라십니다.

내가 태어나고 죽는 것 생김새와 부모님, 삶에서 주어진 모든 상황과 환경은 그리스도가 결정하셔서 내게 주신 것들입니다. 주인이신 그리스도는 자기 능력으로 과제를 성취하려 하는 행정조직원은 필요치 않으시기에 달가워하지도 않으십니다. 주인이신 그리스도에게 신경 쓰기보다 행정조직 안에서 자기 계발과 자기 발전을 추구하고자 하는 행정 직원 또한 달가워하지 않으십니다. 이 세상 행정조직 전체의 발전과 삶의 전개는 주인이신 그리스도의 몫이고 그리스도의 능력만으로도 충분히 이루어지기 때문입니다.

행정 조직안에서 상사가 구박해도 걱정할 필요가 없습니다. 그리스도가 상사 위에 있기 때문입니다. 행정조직의 수장이 퇴사하라고 할 때는 그리스도께서 나를 이 조직에서 내보내려 하시는 것이지 수장의 뜻으로 인한 것은 아닙니다. 그 누구도 그리스도와 무관하게 나에게 영향력을 행사할 수 없기에, 그리스도 외에는 이 세상 그 누구도 두려워할 필요가 없습니다. 조직의 수장은 나라의 우두머리를 두려워하고 돈 벌리는 현장을 제재하려는 세법을 두려워합니다. 조직의 수장 밑에 있는 사람들은 또 그러한 수장을 두려워합니다. 그래서 하나님께서는 선민인 여러분을 세우셨습니다.

세상 만민과 그들의 삶이 그리스도의 소유인데 그중에 그리스도께 신경 쓰려는 사람들이 많이 없습니다. 전부 자기 삶에만 신경 쓰며 성공을 위해 질주하고 있습니다. 그래서 그리스도께서는 자신을 사랑할 자들을 선민으로 택하셔서 사용하시기로 하셨습니다. 그들이 그리스도를 사랑하면 그들을 통해서 이 세상에 대한 행정을 실천해나가시겠다고 말씀하시는 것입니다.

우리가 조직에 들어갈 때, 그곳에는 여호와 하나님을 즐거이 찬양하는 것을 과제로 삼는 사람이 많이 없습니다. 모든 이가 행정 수장을 두려워하고, 승진이 어려워지는 것을 두려워합니다. 감봉을 두려워하고 조직의 적자를 두려워할지언정 하나님을 두려워하는 사람이 많이 없습니다. 그래서 하나님께서 백석대학교 경영·행정학과 원우들을 각기 다른 행정조직에 보내신 것입니다. 아무도 하나님을 믿지 않았던 애굽 땅에 요셉을 보내셔서 총리가 되게 하신 것처럼, 하나님의 행정으로 세상을 변화시킬 주님의 사람들을 보내신 것입니다.

이 책을 쓰고 읽는 우리는 모두 각자의 자리에서 주인 되신 그리스도를 사랑함으로써 그 자리에서 하나님을 즐거워하고 찬양하는 마음으로 살아갈 수 있습니다. 오직 하나님 마음에서 벗어나지 않는 것을 염두에 두고 사노라면 그렇게 그리스도를 사랑하는 우리를 통해서 그 조직에 대한 놀라우신 그리스도의 주권적 통치행정이 나타나게 될 것입니다.

우리가 소속되어 있는 행정조직을 운영하는 것은 조직의 수장도 아니고 뛰어난 능력자들의 수완도 아닙니다. 그들이 운영하는 것 같고 여러분은 그들의 회의에 끼어있지조차 못할 수도 있지만, 실제로 우리가 하나님을 찬양하는 것을 과제로 삼는 그리스도의 종이 된다면 하나님께서는 우리를 통해 그 행정조직을 이끌어 가십니다. 우리로 인해 그리스도의 주권이 그곳에서 나타나기 시작할 것입니다.

삼성이나 LG 등 대기업이 각각 총수 일가의 것처럼 보여도 하나님의 것입니다. 우리가 속해 있는 행정조직도 마찬가지입니다. 그 조직은 그리스도의 것이고, 하나님의 것이고, 백석대학교 경영·행정학과 원우들과 같이 그리스도의 마음으로 경영과 행정을 섬기는 모든 이들의 것입니다(빌2:5).

오늘도 우리는 세상을 등지고 하나님의 이름을 불러야 합니다. 그러나 우리 스스로 세상을 등지는 것은 불가능합니다. 그래서 나타난 것이 구약의 번제이며 주님의 십자가 죽음입니다. 세상의 많은 가치에 관심을 가졌던 우리가 예수 그리스도의 죽음에 연합하여 하나님과의 아름다운 사랑의 사귐을 가질 때, 그 모든 자리에 그리스도의 주권이 내려오셔서 모든 정책(정답)을 펼쳐 나가시게 될 것입니다.

우리는 삶에 대해 성취하고 성과를 나타내려는 자들이 되어서는 안 됩니다. 오직 그리스도의 종으로서 그리스도만을 찾고 그리스도만을 사랑하는 자들이 되어야 합니다. 하나님께 우리 마음이 도달하는 것에 목적을 두고 살아가야 합니다. 그때 그리스도께서는 여러분을 통해서 여러분이 속해 있는 조직과 모든 삶 가운데서 주인으로서의 놀라우신 계획들을 펼쳐 나가실 것입니다.

백석대학교 기독교전문대학원

기독교 경영·행정학과

저자 대표 **강태평** 교수

목차

이대복 '작은도서관컨설팅전문가'

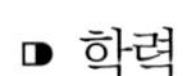 학력

백석대학교 기독교 경영행정학과 박사과정 재학

백석대학교 신학대학원 M.Div 졸업

백석대학교 평생교육신학원 학사 졸업

백석문화대학 영어학과 졸업

 경력

現 남양주시 작은도서관 협의회 고문

現 남양주시 마을가꾸기 위원

現 오남소망교회 담임목사

前 신생중앙교회 교육목사

저서

PPT로 함께 보는 한영 구약 성경 통독 개론 영어번역

PPT로 함께 보는 한영 신약 성경 통독 개론 영어번역

PPT로 함께 보는 한영 신구약 징검다리(중간사) 공저

이메일

fortune1210@hanmail.net

개척교회, 패러다임을 전환하라.

목차

개척교회, 패러다임을 전환하라.

서론. 개척교회를 응원하며

나는 경기도 구리시에 있는 조그마한 인창동 산골 마을의 개척교회 목사 아들로 유년 시절을 보냈다. 큰 길가에서 초등학생 걸음으로 경사진 비포장길을 약 30분 올라가야 우리 동네가 보였다. 천막 교회를 하시는 부모님은 새벽 기도, 밤샘 기도, 금식 기도를 밥 먹듯 하시며 개척교회를 벗어나려고 무던히 애를 쓰셨다. 개척교회는 가난하다.

개척교회는 돈이 없다. 그리고 돈이 없어 환경이 좋지 않다보니 사람이 모이질 않는다. 개척교회 목사 아들로 살다 보니 늘 궁핍하고 힘들었다. 내가 목사가 되고 개척교회를 간신히 벗어나다 보니 지금도 기도하시며 성도들을 사랑하며 힘든 곳에서 개척교회를 하는 목사님들, 사모님들에게 조그마한 힘이 돼드리고 응원하는 마음으로 이 글을 쓰고자 한다.

1. 교회, 10이 가지는 Power

물론 7, 80년대 천막을 치고 가마니를 깔고 교회를 개척해서 산기도를 다니며 허기진 배를 금식으로 달래던 목사님들을 존경한다. 나의 아버지가 그러셨고 나의 장인어른도 그러셨고 내 주위에 계신 존경하는 멘토 목사님들이 그러셨다. 주님을 사랑하는 열정 하나로 가족을 희생하고 성도들을 위해 동분서주하며 심방하고 교회 하나 세우기 위해 밤잠 설치던 그 시절의 순수한 믿음이 우리나라와 우리 한국 교회를 세웠다.

그런데 지금은 그때와 비교하면 환경은 좋아지고 지식도 교육수준도 높아졌지만, 기독교와 교회, 목사의 이미지는 그렇게 좋지 않다.

내가 남양주시 작은 도서관 협의회 초대 회장으로서 주민참여위원회를 할 때였던 2020년도 봄의 일이다. 주민참여위원회의 위원 자격으로 시장님께서 음식을 대접해주었는데 위원 약 8명 정도가 함께 참석했다. 그때 한창 코로나19가 우리나라에 번지고 있을 때였다. 그 때 남양주시 평생학습원장이 내 앞에 있었는데 코로나 비상대책위원회를 꾸리고 일하는데 교회가 제일 협조를 안 한다는 것이다.

그때 내가 목사인 줄 알았던 다른 위원 한 사람이 '이 분 목사님이세요'라고 이야기하는데 그 원장님이 나를 대하는 눈빛이 별로 좋지 않고 시큰둥했던 것이 아직도 기억난다.

그때 내가 이렇게 얘기했다. "죄송합니다. 우리 교회들이 앞으로 더 잘해야겠죠. 하지만 우리 교회 작은 도서관은 매주 토요일마다 지역의 상가들을 다니면서 방역 활동도 해주고 1t 차에 방역기를 달아서 마을 방역 및 소독 활동을 하고 있습니다. 협조 안 하는 교회도 있겠지만 저희같이 협조 잘하는 교회도 있습니다. 더 잘하겠습니다."라고 웃었던 적이 있다.

나는 교회와 기독교의 이미지를 새롭게 전환하는 것이 시간이 걸린다고 생각한다. 이 세상을 선한 영향력으로 변혁시킬 수 있는 공동체는 예수 그리스도의 생명의 공동체 바로 교회뿐이라고 생각한다. 개척교회의 역할은 지역 사회에서 아주 크다고 생각한다.

교회란, '주는 그리스도시요 살아계신 하나님의 아들이시니이다' 라고 고백하는 자이며 모임이다. 즉, 예수님을 그리스도라고 믿는 사람들의 모임이다. 교회는 건물이 아니라 성도의 모임인 것이다.

교회를 개척하려면 가장 먼저 무엇을 해야 할까? 개척을 준비하는 개척준비생들의 실제적인 고민이다. 하나님의 부르심을 받고 신학교와 신대원에서 공부를 마친 다음 개척을 마음먹었을 때 기왕이면 'Local Church'로서 지역 사회에 선한 영향력을 미치는 교회가 되면 얼마나 좋을까? 요즘 글로컬 교회- GLOCAL(Global + Local)라는 단어가 있다. "지역적인 것이 세계적인 것이다", "지역교회가 세계 교회"라는 뜻이다. 나는 개척교회가 패러다임을 전환하여 큰 교회 되는 꿈을 버리고 지역 사회와 함께 호흡하는 교회가 되기를 바란다.

교회가 건물이 아니라 예수 그리스도를 주라 고백하는 성도이며 공동체라고 인식할 때 10이 가지는 Power는 그야말로 대단하다. 사실 초대교회가 시작되기 전에 성전이 파괴되어 뿔뿔이 흩어진 유대인들은 회당 중심으로 모였다. 회당은 신약 시대 유대인의 집회 장소로서, 예배와 기도의 장소이고, 공동체 생활의 중심 역할을 해왔다. 예배를 드리기 위해 최소 10명의 성인 남자가 필요했다. A.D 70년 예루살렘 파괴 시 394개나 되는 회당이 존재했다고 한다. 사실 이 회당은 복음 전도의 출발점이 되었다.

사도바울은 다메섹 회당〈행9:20〉, 살라미 회당〈행13:5〉, 비시디아 안디옥 회당〈행13:14,43〉, 이고니온 회당〈행14:1〉, 데살로니가 회당〈행17:1〉, 베뢰아 회당〈행17:10〉, 아테네 회당〈행17:17〉, 고린도 회당 및 그리스보 회당장집〈행18:4〉, 에베소 회당〈행 18:26, 행19:8〉과 같은 곳을 다니며 복음을 전파했고 예수 그리스도의 복음을 받아들인 그리스도인들이 모여 교회를 세우게 되었다.

2. 10평으로 시작하는 작은 도서관

백석대학교 신학대학원을 졸업한 개척 준비생들 같은 경우에, 교회를 개척하고 설립하려면 교단 총회에서 인정하는 준비사항이 있다. 대한예수교 장로회 백석총회 헌법에서 지교회의 설립 요건 중 하나는 '예배 장소의 준비'이다.

예배 장소를 준비할 때 대부분 자신의 가정집이나 상가를 임대하여 교회를 개척하는 사람들이 대부분인데, 기왕이면 10평으로 시작할 수 있는 작은 도서관을 추천한다.

작은 도서관은 지역주민들의 생활 환경에서 가까운 거리에 있는 소규모 도서관으로서, 주민들에게 지식 정보 서비스 및 문화 프로그램, 지역주민 연계 활동 등을 제공하여 지역 공동체 문화 공간으로 자리하고 있다.

마이크로 소프트사 창업자인 빌 게이츠는 작은도서관의 중요성에 대해 이렇게 말했다. '오늘의 나를 있게 한 것은 우리 마을의 작은 도서관이었다.'

10평의 작은 도서관은 평생교육시설, 자원봉사 인증기관, 자기주도 학습관, 북카페 대중화, 복합문화공간, 상담센터, 관계 전도 플랫폼, 사회공헌 기관과 같은 다양한 기능을 할 수 있으며 지역사회에서 마을 사랑방으로서 역할을 잘 할 수 있는 것이 장점이다. 작은 도서관의 시설 및 자료 기준은 면적이 전용면적 10평 이상이고, 열람석(좌석 수): 6석 이상 자료는 책 1,000권 이상만 있으면 가능하다. 안전시설로서 시설 내 소화기 및 피난 안내도 부착하고 주의사항이 있는데, 제1종 근린생활시설이 **필수이다**.

※도서관법에서 정한 작은 도서관이 시설기준을 충족하였더라도 건축법 등 관련 부서 협의에 따라 관련 법령이 어긋나는 경우에는 등록을 수리할 수 없다. (ex 위반건축물, 미사용승인, 건축물용도 부적합 등)

기왕에 상가를 임대할 거면 건물 내에 불법 사항이 없는 '1종 근린생활시설(10평)'을 계약하여 작은 도서관을 설립하여 제도권 안으로 들어와 지역의 공공성을 뒷받침해주는 교회의 역할을 하기를 추천한다.

하나님께서는 예수 그리스도의 복음이라는 진리를 위해 과감하게 주중에 비어 있는 공간을 지역에 내주고 사람들이 북적북적하게 만들 수 있는 독서문화프로그램을 운영하여 생명력 넘치는 공간이 되기를 바라실 것이다.

작은 도서관은 북카페의 기능을 하면서 교회의 문턱을 낮추어 지역, 마을 주민들이 자유롭게 커피와 차를 마시면서 소통하고 대화할 수 있는 전도의 접촉점 역할을 한다. 종교 도서, 신앙 서적, 인기 도서, 영어 도서와 같은 도서들을 구비해서 교인들과 지역 주민들, 특별히 학생들의 추천 도서, 권장 도서들을 대여하고 책을 읽을 수 있도록 한다.

우리 교회는 약 60평의 예배 공간이 있고 옆의 교육관 건물이 약 30평 정도가 있었다. 이 건물이 버섯재배시설이고 땅도 농지이다 보니 무엇을 해보려고 해도 불법사항이 너무 많았다. 교인들은 약 3-40명이고 예배당은 낡아서 그야말로 '노아의 방주'였다.

새벽 기도하면 천정에서 "야옹~야옹~" 고양이 소리가 들리고 쥐를 잡으려고 고양이가 달리면 새벽 기도를 하다 우당탕 소리가 천정에서 들린다. 기도하다가 깜짝깜짝 놀래기가 일수였다. 또 수요예배 때 문을 잠깐 열어놓으면 참새가 교회로 들어와 예배당을 한 바퀴 날아서 이쪽 가서 머리 박고 저쪽 가서 머리 박다가 내가 밖으로 잘 유인하면 예배당 문밖으로 나간다. 가끔 강대상 마이크에 거미가 거미줄을 치는 일도 있다. 교육관 바닥은 시베리아 저리 가라 할 정도로 바닥 난방이 안 돼서 겨울에 걸을 수 없을 정도였다. 그저 그 공간은 주일에 식사만 할 수 있는 공간이었다.

어느 날 기도하다가 "어떻게 하면 주님이 주신 공간을 잘 선용하여 지역사회에 선한 영향력을 미치는 교회가 될 수 있을까요?" 하다가 광고성 메일 1통을 열어보았다.

"1일 작은 도서관 세미나"인데 경기도 광주에서 월요일에 한다는 것이다. 그 세미나가 무료이고 그 자리에서 독서지도사 2급 자격증을 발급해주고 USB를 가지고 오면 작은 도서관을 할 수 있도록 행정 서류도 담아주겠다는 것이었다.

'바로 이거다' 생각하고 곧바로 비가 주적주적 오는 월요일 세미나에 참석했다. 정말로 작은 도서관 설치 할 수 있는 안내서와 정보를 주었고 독서지도사 2급 자격증도 신청하고 온라인으로 공부해서 취득하게 되었다.

교인들에게 교육관을 작은 도서관으로 만들 예정이니 집에 있는 책을 다 가지고 오라고 하였고 우리 집사님들 중에 한 분이 가구 사업을 하시는데 책꽂이를 기부해 주셔서 교육관 벽면을 책꽂이로 만들어 책을 다 채웠다.

그다음 날 남양주시 종합민원실로 찾아가 작은 도서관 등록을 접수하고 주무관이 실사를 올 때까지 마음 졸이며 전화를 기다렸다. 드디어 남양주 북부도서관 전체를 감독하는 담당 팀장이 전화가 왔다.

"이번 주 목요일에 실사를 가도 될까요?"

"네. 오세요"하고 대답한 다음 약속한 날짜가 되었다.

공간을 보여주면서 얼마나 가슴이 쿵쾅거리던지….

"혹시 작은 도서관 허가 안 해주면 어떡하지?"

"주여, 저 팀장의 마음을 주관해 주옵소서. 허락해 주도록 역사하여 주옵소서"

이렇게 마음으로 기도하였는데 하나님께서 응답해 주셨다.

담당 팀장은 "오. 공간이 좋은데요."라며 아주 흡족해했다. 대화를 더 하면서 그분이 나와 같은 고등학교 선배인 걸 확인하고 우리는 더욱 하나가 되었다. 하나님은 만남의 축복으로 역사하지 않는가? 하하….

그 후 "도서관 등록증"이 나왔다고 받아 가라고 하여서 드디어 "푸른숲 작은도서관"을 개관할 수 있었다. 작은 도서관을 개관하자마자 시에서 연락이 와서 "신간 도서"를 주겠다고 하였다. 일명 "세종 도서"라고 하는데 도서를 받는다고 하면 우리 작은 도서관에 새 책을 배달해 준다. 또 알파 문구점에 요청하면 A4용지, 문구류 등을 무료로 시에서 지원해 준다. 개척교회는 모든 부분에서 돈이 들어가는 건 웬만하면 하지 않는다. 그런데 작은 도서관을 등록했더니 목사가 보고 싶은 책을 다 살 수 있고 문구류 같은 것도 무료로 다 주는 것이다.

이러한 하나님의 은혜는 여기서 끝나지 않는다. 남양주시 자원봉사센터에 수요처로 등록하면 자원봉사 시간을 줄 수 있는 자원봉사기관이 되고 고유번호를 세무서에 가서 신청하면 기부금 영수증을 줄 수 있는 기관이 된다.

1) 푸른숲 작은도서관에서 운영한 독서문화프로그램

우리 교회가 운영하는 푸른숲 작은도서관은 2016년도에 개관했는데, 남양주시 사립 작은 도서관 중에 거의 유일한 A등급의 도서관이다. 지금 우리 도서관은 남양주시 평생학습원에 소속되어 있는데 1년에 1번씩 자본 보조와 경상보조금이 지급되어 그 보조금으로 다음과 같은 독서문화프로그램 수업을 진행했다.

북카페 사업, 바이올린 수업, 건축물 만들기 수업, 비대면 꽃꽂이 수업, 진로 찾기 수업, 식물 테라리움 수업, 청귤청 만들기 수업 등이다.

이외에도 나만의 컬러 찾기 수업, 도형심리상담 수업, 중국어 수업, 버섯 배지 수업, 친환경 비누 만들기 수업, 천 마스크 만들기 수업 등 수많은 독서 문화프로그램을 운영하여 생활문화의 거점 공간으로 지역에 자리매김하였고 지역의 마을 강사들을 발굴하고 세움으로써 지역 플랫폼의 역할을 톡톡히 하고 있다.

2016년도 초창기 작은 도서관

2023년도 현재 작은 도서관

양말목 키링 만들기_오남호수공원

크리스마스 케익 만들기

3. 10평으로 시작하는 마을 공동체

백석대학교 신학대학원을 졸업한 개척 준비생들 같은 경우에, 교회를 개척하고 설립하려면 교단 총회에서 인정하는 준비사항이 하나 더 있다. 대한예수교 장로회 백석총회 헌법에서 지교회의 설립 요건 중 하나는 '입교인 10명' 이상이다.

개척교회에서 '한 사람'의 가치는 정말 '100명'과 맞먹는다. 교회를 개척하고 노방전도하고 매일 새벽 예배하는데 좀처럼 사람이 오질 않는다. 코로나 시기를 지나면서 교회를 폐쇄하는 헌의안이 노회에 얼마나 많은가?

나는 개척교회 목사의 아들로 자라나서 그런지 개척교회 목사님의 고충과 고통을 너무나 잘 안다. 성도가 사업장을 노래방으로 시작한다고 돈이 없다고 해서 아버지 목사님에게 부탁하니 아버지 목사님도 돈이 없는데 사채를 끌어다가 빚을 얻어서 주기도 하다가 얼마 못 가서 망하고 교회 떠나는 일, 전교인 소풍을 갔는데 정신병 환자 성도가 다른 사람에게 칼부림해서 싸움 말리다가 다친 일, 마음에 감동이 왔다고 건축헌금을 했다가 다시 돌려달라고 한 일 등 목회자로서 성도님들을 도와주고 어려운 일을 당한 일은 이루 말할 수가 없다.

이렇게 개척교회 목회자는 한 사람이 정말 중요하고 귀하다. 그런데 이 한 사람이 예수 그리스도를 믿고 교회가 되고 헌신자가 될 때까지 시간이 오래되지만 다른 무엇보다도 개척교회 목회자는 사람 구경을 하고 싶다는 것이다. 그렇다. 먼저 사람을 구경하려면 마을공동체 할 것을 적극 추천한다.

10평으로 작은 도서관을 시작해서 다양한 독서문화프로그램을 하게 되면 관심이 있는 지역주민들이 배너용 광고를 보고 문의해서 함께 참여하게 된다. 물론 목사님. 사모님. 자녀들, 또 몇 명의 성도와 또 몇 명의 지역주민이 모이면 10명이 된다. 10명이 되지 않는 기도처는 입교인 10명이 되는 목표를 가지고, 10명 이상이 모이는 교회는 마을공동체를 할 수 있다.

나는 맨 처음 2016년도 10월에 작은 도서관을 시작할 때 일반적인 이름을 사용하였다. 무슨 에바다 작은 도서관, 벧엘 작은 도서관 같은 용어 말고 지역 사람들이 접근하기 쉽도록 "푸른숲 작은도서관"이라고 이름을 짓고 시작하였는데, 평소 교제하던 작은도서관 세미나를 하던 목사님이 '작은 도서관에서 더 나아가 마을공동체를 해 보세요'라고 권면했는데 우리 집 아파트 1층 현관 게시판에 '마을공동체 공모사업설명회' 포스터가 붙어있었다. 반신반의하는 마음에 당차게 남양주시청 다산홀에서 열리는 설명회에 참석했는데 어찌나 사람이 많던지…. 그 설명회에서 내가 느낀 것은 주민 10명이 모여 함께 밥을 해 먹고 함께 영화를 보고 공동체를 만들어 노는데 나라에서 보조금을 준다는 것이었다…. "아니. 이건 교회에서 하는 거잖아. 그런데 종교성을 갖지 말라고?" 이런 마음을 먹고 "한번 도전해보자 안되면 말고" 식으로 공모사업에 신청했었다.

그때 당시 우리 교회엔 '주바라기 선교단'이 있었는데 나의 아내가 피아노 전공을 해서 교회 학교 학생들과 청소년들을 가르쳤고 바이올린, 플루트 강사를 섭외해서 가르쳐 약 10명 정도의 아이들이 구성원으로 교회에서 연주하고 성가대를 하고 있었다.

나는 이 '주바라기 선교단'을 '홀리씨드 오케스트라'로 이름으로 바꾸고, 사실 내가 일반적이라고 생각하지, 다른 사람들은 '홀리씨드'가 교회 분위기 나는 것을 알고 있다.

경기도 따복공동체 지원센터에서 지원하는 공모사업에 사업계획서, 예산계획서 등 모든 서류를 준비해서 지원하였다. 1차 서류선발이 되고 2차는 PPT 발표를 해야 한다고 하여 평내동에 있는 도서관에서 조금 똑똑하고 야무진 청년에게 PPT를 준비하여 발표하게 했는데 대통령 표창을 받아야 한다면서 심사위원이 극찬하였다. 결국 발표심사에도 통과하여 드디어 2018년도에 마을공동체 사업을 시작하게 되었다.

간식비, 식사비, 강사비, 세종문화회관 클래식 음악 입장료, MT비, 숙박비, 버스 임차비 등 1년 동안 약 1000만 원의 보조금을 받아 원래 우리가 하고 있던 활동을 일반적이고 종교성을 나타내지 않으며 공동체 활동을 하여 마을공동체 성과공유회에서 공연도 하고 남양주시장님과 함께 아이들이 사진도 찍고 부스 운영을 한 수익금으로 연탄을 구매하여 소외계층에 다른 자생공동체들과 함께 연탄을 배달하는 매우 유익하고 보람 있는 봉사하게 되었다.

'한 아이를 키우려면 온 마을이 필요하다'라는 아프리카 속담이 있다. 현대 시대는 외로움, 고독감, 공동체 의식의 결여 때문에 많은 사회적 비용과 갈등이 일어나고 있으므로 정부는 그러한 갈등을 최소화하기 위해 지자체나 행정기관들 안에 민간 자생 공동체들의 역량을 강화하여 협력적 거버넌스를 이루도록 하며 자치 회의의 의제들이 행정이 미치지 못하는 부분들을 다룰 수 있도록 하고 있다.

마을공동체는 특정 지역 또는 동네의 주민들이 함께 모여 협력하고 소통하는 사회적 단위를 말한다. 이러한 공동체는 주민들 간의 상호의존성과 연대감을 강화하며, 지역사회의 발전과 번영을 위해 다양한 활동을 수행한다.

1) 마을 공동체의 특징

ⓐ **상호 도움과 협력**: 주민들은 서로 도움을 주고받으며, 공동의

목표를 위해 협력한다. 예를 들면, 마을 청소, 안전 관리, 이웃 간의 서비스 공유 등이 있다.

ⓑ **소통과 의사 결정**: 주민들은 회의, 모임, 온라인 그룹 등을 통해 의견을 교환하고 공동체의 사안에 대해 의사 결정한다.

ⓒ **문화와 행사**: 공동체는 지역의 문화적 특성과 전통을 지키고 유지한다. 지역 축제, 문화 행사, 예술 활동 등을 통해 지역 사회의 정체성을 형성한다.

ⓓ **자원 공유와 지원**: 주민들은 자원을 공유하고 지원함으로써 공동체의 발전을 돕는다. 예를 들면, 기술, 재정, 지식, 노력 등을 공유하여 지역 사회의 문제를 해결하고 발전시킨다.

마을 공동체는 소통과 협력을 통해 지역 사회의 결속력을 강화하고, 주민들의 삶의 질을 향상하는 중요한 역할을 한다.

마을공동체의 최소 인원은 10명이다. 환경, 체육, 교육, 공동육아, 문화, 봉사, 취미(쏘잉, 요리, 영화), 역사 등등의 다양한 카테고리로 공동체 활동을 할 수 있으며 이러한 활동가들을 "공동체 활동가"라고 한다.

2) 우리 교회에서 인큐베이팅된 마을공동체

ⓐ 홀리씨드 오케스트라

우리 교회에서부터 인큐베이팅되어 처음 시작한 마을공동체는 "홀리씨드 오케스트라"로서 2002년 창단된 주바라기 선교단의 명칭을 일반적인 이름으로 홀리씨드 오케스트라로 바꾸어 2018년도 경기도 마을공동체 사업에 지원하여 선정되어 무료 오케스트라 교육 및 세종문화회관 탐방, 가을음악회를 진행하였고 지역에 선한 영향력을 발휘하여 예수 그리스도의 생명을 나타내도록 하고 있다.

(b) **동그라미 공동체**

2016년 창단된 오남소망교회 남전도회의 명칭을 일반적인 명칭으로 "동그라미 공동체"로 바꾸어 2019년도 경기도 마을공동체 사업에 지원하여 선정되어 무료로 동그라미(당구, 축구, 족구와 같은 동그란 걸로 생긴 체육 활동하였다. 또한 북적북적 마을잔치, 독거노인 보일러 지원을 진행하였고 지역에 선한 영향력을 발휘하여 예수 그리스도의 생명을 나타내도록 하고 있다.

(c) **오남플로깅 공동체**

2020년 창단된 오남플로깅단은 남양주시 주민참여위원회의 위원으로 활동하던 담임목사 부인 전도사가 2020년도 남양주시 자원봉사센터에 등록하여 조깅하면서 쓰레기를 줍는 플로깅 활동을 통해 남양주시장상을 타고 현재 NCMN(대표: 김미진 간사_왕의 재정 저자) 협력교회로서 오남역 매주1달에 2회 청소 및 매달 1회 다문화 15가정에게 생필품 박스를 지원하여 지역에 선한 영향력을 발휘하여 예수 그리스도의 생명을 나타내도록 하고 있다.

우리교회에서 美사모(미친 사춘기 부모들의 모임) 청소년기 부모 교육공동체, 정다움 청년 공동체, 훨훨 나르숏(여성 풋살 공동체)와 같은 다양한 공동체들을 인큐베이팅 및 컨설팅하였다.

이렇게 10명이 가지는 파워는 형언할 수 없을 정도로 강하다. 사실 이 모든 활동은 우리 안에 계시는 그리스도께서 우리를 장갑삼아 그리스도의 나라를 이루시는 것이다. 개척교회의 멤버 10명이 모여 "JESUS LOVES YOU"가 인쇄된 조끼를 입고 매주 1번씩 플로깅 활동을 해보라. 그리고 그 활동을 교회 이름으로 하지 말고 오른손이 하는 일을 왼손이 모르게 '00플로깅단'이라고 하여 일반적인 지역적 환경 활동으로 만들면 지역 사회의 사람들이 분명 교회를 존경하고 예수 그리스도의 이름이 높여질 것이다.

홀리씨드 마을공동체

동그라미 공동체

오남플로깅단

훨훨 나르숲 공동체

결론. 10명으로 시작하는 지역(마을)학교

어느 쌀쌀한 2018년 겨울날, 나는 어김없이 교회에 나가서 행복한 토요프로그램을 운영하고 있었다. 행복한 토요프로그램은 우리 교회가 지역의 아이들을 위해 무료로 바이올린, 플루트 악기를 가르치고 간식을 주며 행복한 토요일을 선물로 주기 위해 했던 문화프로그램이었다. 행복한 간식시간, 나는 한 아이의 어머님과 함께 담소를 나눴다. 그분은 나에게 자신의 아이들이 행복한 토요프로그램 덕분에 말 그대로 정말 행복한 토요일을 보내고 있다고 말하며 정말 감사한다며 인사했다. 하지만 우리 교회 내부적으로는 이걸 계속해야 할까? 아니면 그만해야 할까? 하는 강사들 가운데 고민이 많았다. 왜냐하면 무료로 하다 보니 학생들이 자기 마음대로 결석했고 좋은 강사들이 수업하는데도 귀한 줄 모르고 점점 정체되어가고 있었기 때문이다. 하지만 그 어머님은 조금의 시간이 흐르고, 이야기하고 있던 도중 나에게 뜬금없이 물었다.

"목사님, 꿈의 학교를 아세요?" 나는 "아니요, 잘 모르는데요."라고 대답했다. 그러더니 나에게 하는 말이 " 목사님이 하고 계신 일이 바로 학교에요." 나는 속으로 생각했다. "우리가 하는 것이 정말 학교라고?" 내가 어리둥절하고 있으니, 그분은 핸드폰으로 꿈의 학교 설명회가 있는지 찾아보더니 "목사님. 다행히 다음 주에 구리 남양주 교육 지원청에서 설명회를 하네요. 한번 참석해 보세요."라고 친절히 알려주었다. 나는 감사하다고 인사한 후 그 다음 주에 했던 "꿈의 학교 설명회"에 참여했다. 평소 나와 같은 사람들은 "교육청"이나 "교육 지원청" 같은 단어를 들으면 나와는 전혀 상관없고 저 멀리 있는 세계로 인식하기 대부분이다. 하지만 나는 그 설명회에 참석하면서 머리를 한 대 맞은 것 같았다. 정말 우리 교회가 하는 것이 꿈의 학교로 발전할 수 있고 전도나 포교 활동만 하지 않는다면(?) 선정이 될 수 있을 것이라는 자신감이 생겼다.

나는 교회 교회학교, 청소년, 청년을 교회에서 자라왔는데, 일반적인 지역 교육에 대해서 너무 몰랐다는 생각이 들었다. 또한 전도 목적으로 하지 않고 일반적인 지역 교육을 해야 하는데 교인들에게 어떻게 설명해야 할까? 마땅히 대답할 말을 준비해야 했다.

목사라는 타이틀, 교회라는 전통적 틀에서 나와 지역의 어린이나 학생들에게 어필할 수 있는 부분이 필요했다. 어쩌면 이 시점이 우리 교회와 사역에 전환점이 될지도 모른다는 생각이 들었다. 도의원, 장학관 등등 처음 보는 사람들이 꿈의 학교를 신청해보라고 권유했을 때, 나는 믿기지 않았다. 그래서 나는 결심했다. 모험을 시작해보기로. 나중에 알았지만 “미셔널 처치”, “공공신학”,“커뮤니티 비즈니스”와 같은 사역들, 단어들, 책들을 접하면서 실제적인 우리 교회의 사역이 이론적인 틀로 갖추어지게 되었다.

하지만 그 모험은 내 생각대로 흘러가지 않았다. 괜히 모험이라는 말을 쓰는 것이 아니었다. 내가 바라던 꿈의 학교를 펼치기 위해선 내가 접해보지 못한 방대한 서류들과 세금신고들을 해야 했다. 또한 장소가 “교회”라는 이유로 장학관이나 주무관들이 그리 선호하지 않고 비협조적이었다. 교회가 가지고 있는 특수성과 종교성을 “폐쇄적이다”라고 생각하며 장학관들이 우리 교회를 방문했을 때, 상당히 회의적이었다. 나는 생각했다. “교회가 사회 그리고 지역에서 인정받지 못한다고.” 그렇지만 단지 그건 나의 “생각”에 불과했다. 나는 또 한 번 다짐했다. 우리 교회에 소속되어 있는 중고등부와 청소년들은 꿈의 학교에 신청하지 못하게 하고 다른 곳과 똑같이 학교 강사들이 면접을 봐서 지역사회의 아이들을 받기로 했다. 진실하고 정직하고 행복하게 운영하여 예수 그리스도의 생명이 있는 선한 영향력을 전파하자는 나름의 메시지를 가졌다.

나는 마침내 모험을 마쳤다. 그 모험은 아주 성공적이었다. 꿈의 학교를 통해서 지역사회에 있는 많은 기관과 사람들에게 인정받는 교회가 되었다. 정원 20명이 모집이지만 항상 그 두 배가 넘는 학생들을 선정하여 교회에서 예산을 더 지원받아 아이들에게 행복한 활동과 교육을 제공해주었다. 한 사람의 낙오자도 없이 입학생 모두 졸업하여 성과발표회도 성공적으로 마쳤다. 또한, 교회 성도님들 중 청년들과 신중년 여성들, 고령자분들을 강사로 채용하고 재능은 있지만 빛을 발하지 못했던 교인들(지역주민임)이 강사가 되었다. 부모님들은 수업 시간 동안 서로 자녀들의 문제에 대해서 서로 상담하고 소통하며 교육 공동체를 이루어갔다. 아주 방대한 모험이었지만, 비로소 나는 "지역사회에 영향력 있는 리더"가 되었다. 이것은 모두 하나님의 은혜였다.

'흙내음이 가득한 꿈의 학교'는 지역에 사는 어린이, 청소년들이 자율적으로 도전하여 자기 삶을 찾을 수 있도록 음악 활동(오케스트라) 및 독서 활동(음악과 자연을 다루는 책 읽기), 자연 활동(텃밭 가꾸기), 동물 키우기(닭, 강아지)를 체험하고 학교를 주체성과 책임감으로 만들어가고 협력과 나눔의 경험을 하도록 하고 '흙내음(흙, 자아, 음악)이 가득한 경기 이룸 학교'를 통해 핸드폰, 컴퓨터를 만지며 개인적이고 이기적인 아이들이 창의성과 비판적 사고 및 탐구와 관찰의 역량을 강화하고 더불어 사는 지역의 가치를 깨닫고 노동의 가치와 하모니의 가치를 깨달아 인성과 품성이 바른 실용적 미래 인재로 자라날 수 있도록 도와주는데 운영 목적을 가지고 시작하게 되었다.

우리 교회가 하는 흙내음이 가득한 이룸 학교(꿈의 학교) 활동으로서 자연(텃밭)학교, 인성(나를 알아가기)학교, 1일 캠프, 음악회 탐방, 음악학교를 하고 있다.

❖ Check-List. 작은 도서관 설립 절차

	내 용	준비물	체크
1	1종 근린생활시설 10평(33㎡)이상 공간준비하기	건축물대장 확인 건물내 불법사항확인	□
2	상가 계약 전 지자체 도서관 정책과 방문 문의하기	평면도 확인	□
3	교회와 별도 출입문 만들기	배너용 현수막	□
4	책 1000권 / 좌석 6석 준비하기	모든 서적 가능	□
5	작은 도서관 설립 시청(구청)에 신청	작은도서관신청서1부 시설명세서1부	□
6	담당 공무원 공간 실사 점검	종교성 홍보물 제거	□
7	도서관 등록증 발급	지자체장 직인 확인	□
8	고유번호증 세무서에 신청하기	신청서1부, 정관1부 단체 직인 대표자선출회의록1부 임대차계약서1부	□
9	단체 통장 및 카드 신청하기 〈가까운 농협 방문〉	고유번호증 사본1부 단체 직인 대표자 신분증	□
10	자원봉사 수요처 자원봉사센터에 신청하기	신청서1부	□
11	담당 공무원 공간 실사 점검	종교성 홍보물 제거	□
12	자원봉사 수요처 등록 허가	자원봉사단체 설립	□

❖ Check-List. 마을공동체 설립 절차

	내 용	준비물	체크
1	지자체 자치행정과 전화 문의	마을공동체 공모사업 설명회 기간 문의	□
2	마을공동체 공모사업 설명회 참석	대부분 1-2월 실시	□
3	공모사업 신청 설명회 참석 시 메뉴얼 자료 수령	사업계획서 예산계획서 단체소개서	□
4	마을공동체 공모사업 신청 (1차 서류)	단체직인 자료에 충실한 계획서 작성	□
5	마을공동체 심사 (2차 PPT 발표)	PPT 제작	□
6	마을공동체 사업 선정	마을공동체 온라인 카페 가입	□
7	고유번호증 세무서에 신청하기	신청서1부, 정관1부 단체 직인 대표자선출회의록1부 임대차계약서1부	□
8	단체 통장 및 카드 신청하기 〈가까운 농협 방문〉	고유번호증 사본1부 단체 직인 대표자 신분증	□
9	사업 시작	대부분 4-11월까지	□
10	사업 정산	대부분 12월	□

이상복 '한국교회세무행정전문세무사'

◘ 학력

백석대학교 경영행정대학원 박사과정 재학

성결대학교 신학대학원 M.Div 목회학석사 졸업

방송대학교 경영학과 졸업

국립세무대학 내국세과 1회 졸업

◘ 경력

現 월드세무법인 주안에 대표

現 교회세무회계연구원 대표

現 예수교대한성결교회총회 고문세무사

現 주사랑교회동역목사(前담임)

前 한국교회세무재정연합 공동대표 / 前 국세공무원교육원 교수

前 수원세무서 재산세과 과장

◘ 저서

교회와 세무·회계·재정 & 관련법과 재정 공저

부가가치세법(국세공무원교육원) / 부가가치세 실무(국세공무원 교육원)

국세기본법(국세공무원교육원) / 국세징수법(국세공무원교육원)

◘ 이메일

jllsb0191@hanmail.net

교회 세금, 알려주지 않는 절세비법

목차

교회 세금, 알려주지 않는 절세비법

서론. 교회가 세금을 꼭 내야 하나요?

필자가 운영하는 인덕원 세무법인 사무실에 경기도 안양에서 평촌교회(가칭)에서 목회하시는 이충성 목사님(가명)이 찾아오셨다. “교회에서 소유하던 교회 부동산을 양도하려고 하는데 세금 처리를 어떻게 해요?” 목사님은 교회 부동산은 교회가 전체를 사용한 것이 아니고 일부는 임대하였다고 하셨다. 그리고 교회 부동산 매각금액으로 다른 교회를 구매하고 일부는 교회 부채를 변제하고 일부는 자신의 퇴직금(중간 정산)으로 받기로 하셨다고 한다. 그럴 때 “교회 부동산 양도 절차와 관련된 세금을 어떻게 처리해야 하는지요”라고 질문하셨다.

제주도에서 시무하시는 모 목사님이 전화로 문의하셨다. “교회가 주택을 소유하고 있는데 갑자기 세무서에서 종합부동산세를 내라고 고지서를 보내왔습니다. 교회가 종합부동산세를 꼭 내야 하나요?”라고 당황하시면서 전화하셨다.

또한 경기도 수원에 있는 수원교회(가칭)에서 담임 사역하시는 50대 중반의 김바울(가칭) 목사님이 찾아오셨다. 필자도 담임 사역을 경험하였기 때문에 담임 사역에 대한 이런저런 이야기를 나누었다. 그 가운데 목사님은 특히 교회 부동산 세무 관리의 어려움을 호소하셨다. “현재 교회가 있는 건물 명의가 목사님 어머님과 김장로님 공동명의로 되어 있고 지분은 각각 2분의 1일씩입니다. 공동명의로 되어 있는 건물을 교회 명의로 바꾸고 싶은데 세무 처리를 어떻게 해야 하는가요"라고 하시면서 난감해하셨다. 그리고 부동산 문제로 머리가 매우 아파서 목회에 부담이 되고 있다고 하셨다. 이에 목사님은 "부동산을 교회 명의로 한 후에는 어떤 세무 관리를 해야 하는지, 더불어 교회가 부흥하여 현 교회 부동산을 양도하였때에 어떤 세무 관리를 해야 하는지요?"라고 질문하셨다.

그 외 여러 목사님이 인덕원 사무실로 찾아오시거나 아니면 전화를 교회에 관련된 여러 가지 세금 문제를 상담하신다. 교회 세금인 경우도 있고 심지어 교회 성도와 관련된 세금 문제를 상담하신다. 많은 경우 전화로 상담하여 해결할 수 있었으며 또한 전화로 세무서에 직접 연락해서 세금 문제를 해결한 예도 있었다.

그 예 중 하나로 충청도에서 목회하시는 몹시 어려운 개척교회 목사님 이야기를 하고자 한다. 국세징수권 소멸시효와 관련하여 목회자들이 특히 주의할 사항이다. 목회자들은 가족, 친지, 지인으로부터 가끔 사업자 명의를 빌려달라는 제안을 받는 경우가 있다. 주의할 것은 어떤 경우라도 명의를 빌려주는 것은 절대 금물이라는 것이다. 명의를 빌려주었는데 그 사업이 망하여 폐업하게 되는 경우 그동안 밀린 세금을 명의를 빌려준 목회자가 부담하여야 하는 것이다. 이 경우 목회자가 세금 체납자가 되고 결국 신용불량자가 되게 된다.

필자가 만난 목회자는 충남지방에서 목회하는 분인데 형제에게 명의를 빌려주었는데 그 사업이 망하게 되어 목회자에게 수천만 원의 세금이 부과되었고 그것을 내지 못해 신용불량자가 된 경우를 보았다. 이 목회자는 재산이 없었기 때문에 5년이 지나면 국세징수권이 소멸하여 이제는 체납자가 아니고 신용불량자도 되지 않게 된다. 그런데 이 목회자는 체납된 지 4년 차에 자신 명의로 된

농협 통장에 지인으로부터 받는 선교헌금이 예금되어 있었고 이를 세무서에서 압류하게 되었다. 압류를 하게 되면 국세징수권소멸시효가 중단되어 다시 국세징수권소멸시효 5년이 새롭게 시작된다. 이 목회자가 만약 통장에 잔고가 없어 압류당하지 않았다면 1년만 더 기다리면 국세징수권소멸시효 기간 5년이 만료되어 국세징수권이 소멸할 예정이었다. 결론적으로 목회자들은 명의를 빌려주면 절대로 안 되며 설령 명의를 빌려주어 억울하게 체납자가 되었다면 자신의 명의로 된 재산이 전혀 없어야 한다. 재산이 없어 압류 등을 받지 않고 5년이 지나면 국세징수권이 소멸하여 체납자나 신용불량자에서 벗어날 수 있게 됨을 알아야 한다. 필자는 그 목사님 교회에 직접 찾아가서 이제 향후 5년 동안 차량을 소유하거나 통장에 잔액이 있는 등 어떤 재산도 소유하지 않아야 함을 상담해 주었다. 그리고 필자가 직접 세무서에 찾아가 담당 공무원을 만나서 그 목회자의 어려운 형편을 자세히 설명해 주었다. 그 목사님은 필자에게 사례비를 주려고 하셨지만, 정중히 거절하였고 오히려 밥을 사드리고 올라왔다. 시간과 비용이 들었지만, 교회를 도우라는 주님의 사명을 조금이라도 감당하는 것 같아서 마음은 기뻤다.

그런데 인덕원 사무실에 직접 오셔서 상담하는 목사님들은 대부분 필자에게 이런 질문을 하신다. "왜 목회자로서 교회 관련 전문 세무 사역을 감당하게 되었어요?"라는 질문이다. 그래서 필자는 왜 이런 세무사역을 하게 되었는지에 대하여 목회자들에게 자연스럽게 간증하는 경우가 있었다. 그래서 먼저 왜 이런 사역을 시작하게 되었으며 앞으로 어떻게 사역을 감당하게 될지에 대하여 글을 써보고자 한다.

1. 왜 교회 세무 사역을 하게 되었나요?

필자는 1961년 여름에 원주 문막에 있는 후용리라는 작은 농촌 마을에서 빈농의 셋째 아들로 태어났다. 어머니는 아주 사랑이 많은 분이셔서 자식들을 키우시면서 한 번도 욕을 하시거나 매를 대지 않으신 분이었다. 반면에 아버지는 군대 생활을 오래 하신 분이라 자식들을 군인 다루듯이 엄격하게 대하셨다. 어렸을 때 아버지는 무섭고 두려운 분이셨다.

초등학교 입학하기 전 우리 집 옆집에는 그리스도인 가정이 살고 있었다. 나는 옆집 누님의 등에 업혀서 교회에 갔던 것이 기억난다. 그때부터 교회에 다니면서 가정에서 누리지 못하는 편안함을 교회에서 누렸다. 지금도 교회학교 선생님을 따라 교회 근처 묘지 잔디밭에 가서 분반 공부를 하던 생각이 또렷이 난다. 그리고 매년 여름에 기다려지는 시간이 있었다. 그것은 바로 여름성경학교였다. 그 당시에는 맛난 간식과 옛날이야기, 수건돌리기 등을 하였는데 얼마나 재미있었는지 모른다. 그렇게 초등학교 시절에 교회에 열심히 다녔다.

중학교 2학년 겨울 교회에서 열리는 심령 대부흥회에 참석하였다. 부흥회에 참석하여 말씀을 듣고 기도하는 가운데 성령께서 작은 죄 하나까지도 기억나게 하셨고 회개하도록 나를 이끄셨다. 입에서는 알 수 없는 말로 통제할 수 없는 기도가 나오기 시작했다. 방언 기도였다. 성령 체험을 하신 분들은 다 아시겠지만 나는 집에 돌아오는 길에 풀 한 포기, 새 한 마리, 심지어 개미까지도 아름답게 보였던 것으로 기억한다. 그 후 중학교 3학년이 되면서 중등부 회장이 되었다. 나는 매우 소심하고 내성적이었기 때문에 회장을 한다는 것을 엄두도 내지 못하였다. 그 당시 시골교회였지만 중등부와 고등부가 따로 예배를 드렸다. 중등부가 20~30명이 출석하여 예배를 드렸다. 주일 저녁 예배에 중등부 헌신예배를 드리는데 회장이 사회를 보아야 했다. 얼마나 떨면서 사회를 보았는지 지금도 기억이 생생하다.

그렇게 열심히 신앙생활을 하는 가운데 누님이 기도를 많이 하셨는데 기도하시는 가운데 내가 목회자가 될 것이라는 응답받으셨다고 하면서 서원기도를 하셨다고 하였다. 그 말을 듣고 나는 당연히 받아들였고 교인 중 일부가 알게 되었다. 하루는 교회 갔다가 집에 왔는데 술 취한 아버지가 갑자기 나를 보자고 하셨다. 어서 들으셨는지 자식 중에 가장 공부를 잘하는 자식이 목사가 된다고 하니 사회에서 성공을 바랐던 아버지는 매우 화가 나셨던 모양이다. 아버지는 내게 볼펜과 노트를 가져오라고 하시더니 노트에 지도를 그리신다. 나를 중심으로 한쪽은 아버지, 한쪽은 목사라고 써놓으시고 선택하라고 하신다. 성령 충만한 내가 무엇을 선택하였겠는가? 당연히 겁도 없이 목사를 선택하였다. 그날 아버지에게 얼마나 많이 맞았는지 모른다. 그래도 그렇게 아프지도 슬프지도 않았다. 중학교 3학년 때 공부 잘하는 학생을 모아둔 특수반에서 뽑혔다. 그 당시 필자는 원주에서 명문고인 원주고등학교에 들어갈 수 있는 실력이 있었다.

그런데 중학교 졸업 후 원주에 있는 진광고등학교에 우여곡절 끝에 입학하게 되었다. 여기서 지면상 다 이야기할 수 없지만 가고 싶지 않은 학교였다. 그래서 학교 입학시험도 대충 보았는데 그래도 나는 고등학교에서 새마을 장학금을 탈 정도로 공부를 잘하는 축에 들었다. 그렇게 고등학교 시절을 보내고 있는 가운데 신앙생활이 무뎌지게 되었다. 원주 시내에 있는 규모가 제법 큰 교회 학생부에 등록하였는데 적응을 할 수 없었다. 왠지 시골교회와 시내 교회는 괴리감이 있었고 누구도 나를 반갑게 대해주는 것 같지 않았다. 그 후 교회와 차츰 멀어지기 시작했고 결국에는 고등학교를 졸업하면서 교회를 떠났다.

고등학교를 졸업하는 해에 예비고사를 잘 못 보아서 응시했던 대학에서 모두 낙방했다. 서울에서 재수학원에 다니다가 여의찮아서 시골에 가서 농사일을 도왔다. 한 달간 농사일을 돕고 나니 다시 공부가 하고 싶어졌다. 작은형이 부산에서 공장에 다니고 있었는데 무작정 부산으로 내려가서 그해 6월부터 형과 같이 살면서 재수를 시작했다. 호박잎을 뜯어다가 된장찌개를 끓여서 먹을 정도로 어려웠다. 3개월간 부산 서면에 있는 제일학원에 다니면서 재수하다가 건강이 너무 안 좋아져서 다시 시골집에 와서 자습으로 공부하였다. 어머니가 해주시는 따뜻한 밥을 먹으면서 공부하니 건강이 회복되고 공부도 잘되었다. 다행히 두 번째 예비고사는 상위권 대학에 갈 정도의 점수가 나왔다. 그러나 가정 형편상 사립대는 갈 수 없었고 재워주고 먹여주고 학비도 무료인 세무대학에 입학하게 되었다. 사실 나는 국문학을 전공하고 국어 교사를 하고 싶었다. 그러나 세무공무원이 무엇인지도 모른 상태에서 학비 문제로 세무대학에 진학하게 된 것이었다.

세무대학 졸업 후 다음 해 봄에 남인천세무서에 발령받았다. 남인천세무서를 근무하다가 그해 12월 12일에 군에 입대하였고 제대 후 북인천세무서에 발령받았다. 북인천세무서에 근무하다가 반 중매로 아내를 만났고 다음 해 4월 12일에 결혼하였다. 결혼 후 아이 둘을 낳고 나름 잘 살아가고 있었다고 믿었다. 그리고 37살 되던 해 1997년 초봄쯤에 종로에 있었던 국세청 본청에 근무할 때 나에게 갑자기 급성 우울증이 찾아왔다. 높은데 올라가면 떨어져 죽고 싶어졌고 아이들과 아내를 바라보면 나를 만난 것이 너무 불쌍하다는 생각이 들었다. 밤에 잠을 잘 수가 없었다. 가슴은 뜨거웠고 답답했다. 그런데 놀라운 것은 낮에 출근해서는 전혀 졸리지 도 않았고 너무나 업무를 잘 보았다. 내가 미쳤다는 생각이 들었다. 그래서 아내에게 발로 걷어차 보라고 하기도 하고 볼을 세게 꼬집어 보라고도 하였다. 그런데 안 아픈 것이 아니라 평상시와 똑같이 아팠다. 미친 것 같지는 않았다. 그렇게 한 달을 견디다가 이젠 정말 죽음이 앞에 다가온 것 같이 되었을 때 갑자기 교회가 가고 싶어졌다. 그해 4월 12일 토요일에 나는 북수원감리교회 본당 2층에 앉았다. 아무런 생각도 들지 않았는데 마침, 내 입에서 찬송가가 나오기 시작했다. 어렸을 때 교회에서 어른들이 부르던 찬송가 같은데 잘 알지 못하는 찬송이 나의 입에서 불리기 시작했다. "멀리멀리 갔더니 처량하고 곤하며 슬프고도 외로워 정처 없이 다니니 예수 내주여 지금 내게 오셔서 떠나가지 마시고 길이 함께하소서"라는 찬송가 387장(통일 440) 1절이었다. 이 찬송을 밤새도록 부르면서 주님을 떠나 죄악 가운데 살았음을 눈물로 회개하였다. 지금 생각해보면 잘 모르는 찬송가를 부르게 하신 이도 눈물로 회개 기도를 시키신 분도 성령님이셨다. 다음 날 바로 교회에 나가서 등록했다. 그리고 그날로 좋아하던 술과 담배, 친구 모임 모두 끊었다.

얼마나 급격하게 변화되었으면 친구들이 '갑자기 변하면 죽는다'라고 하면서 놀려대기도 하였다. 나는 주일에 교회에 가서 예배를 드리는 갑자기 변한 나의 모습이 내 자신에게도 적용이 안 돼서 "내가 지금 왜 여기 와서 있지"라고 반문하기도 하였다. 그런데 내가 이렇게 갑자기 변화된 이유에 대하여 누님이 나에게 말씀하셨다. 누님이 동생인 나를 볼 때 직장도 튼튼하고 애들도 잘 크고 세상 부러울 것이 없이 살아가다 보면 하나님께 돌아올 수 없을 것 같다는 생각이 드셨다는 것이다. 그래서 일주일 작정 금식기도를 하셨는데 그 기도 제목이 "우리 동생 세상 살맛 안 나게 해주세요"라는 것이었다는 것이다. 하나님께서 누님의 기도를 응답하셨고 바로 나에게 급성 우울증을 앓게 하셨다. 교회에 등록 후 바로 새벽기도회에 나갔고 십일조 등 헌금 생활도 바로 하였다. 그리고 하나님께서 그동안 빼먹었던 십일조 등 헌금 5천만을 드리겠다고 서원했다. 그것은 교회 개척을 하면서 모두 하나님께 드리게 하셨다. 그해 여름 누님과 작은형과 아내와 같이 양수리 수양관(강남중앙침례교회) 집회에 참석했다. 3일 금식하면서 집회에 참석하고 기도하였다. 집회 마지막 날 용기를 내어서 강대상 근처에 가서 두 손 들고 간절히 기도하며 부르짖었다. "하나님 저를 왜 또 부르셨나요?" 정확한 음성이 내 귀에 들렸다 "목사, 목사, 목사"였다. 도저히 이해할 수 없는 음성이었다. 지금까지 세상 속에 살던 나를 하나님께서 주의 종으로 부르신다는 것이다. 누구에게도 이야기할 수 없었다. 그런데 마치 구름 위를 걷는 듯한 삶이 되었고 어디를 가나 기뻤고, 감사했으며 하나님께서는 나를 신학을 할 수 있는 길로 인도하셨다. 그런데 하나님께서 나를 수원의 한 기독교 서점으로 인도하셨다. 그리고 다이어리를 하나 샀는데 거기에 야간에 공부할 수 있는 신학대학원에 대한 정보가 있었다. 아내에게는 야간 신학대학원에 가서 공부하고 싶다고 했고 아내는 그렇게 하라고 했다. 그래서 그 당시 야간 신대원이 개설된 강남대학교, 한세대학교, 성결대학교 신대원을 차례로 방문했다. 그런데 안양에 있는 성결대 신대원에 갔을 때 마음에 평안함이 왔고 그날로 원서를 사서 접수했다.

신대원 3년 학업 기간은 기적과 같았다. 공무원으로 직장 생활하면서 야간으로 신학 공부하는데 3년 동안 매년 앓았던 몸살감기 한번 앓지 않았고 집안 대소사가 없었기 때문에 결석을 한번도 한 적이 없었다. 직장에서 근무하던 부서는 법무과였는데 소송을 담당하는 부서라 출퇴근에 대하여 자유로운 곳이었기 때문에 학업에 전혀 지장을 주지 않았다. 더불어 하나님께서 직장에서도 소송 승

소율을 높여주셔서 직장에서도 인정받게 하셨다. 신대원 2학년 때부터 주일에는 오산성결교회 및 수원중앙성결교회에서 청년부 사역자로 사역을 12년을 감당하게 하셨다. 아내도 직장생활을 하면서 부교역자 사모로 교회에서 섬기다 보니 매우 힘들어했다. 그런 가운데 아내는 단독 사역만은 받아들일 수 없다고 몇 번이고 강조했다.

국세공무원교육원에 교수로 근무한 경력이 쌓여서 세무서장으로 진급할 기회가 왔다. 직장생활에서 가장 황금기를 누릴 기회가 온 것이다. 그런데 하나님께서 2014년 여름에 다시 3일 금식기도를 하게 하셨고 단독 사역(교회 개척)에 대하여 기도하게 하셨다. 그런데 3일 차 되는 날 교회 개척을 반대하던 아내가 울면서 전화를 해왔다. "당신이 가는 길을 막아서 정말 미안해요. 이제 단독 사역을 하든지 어떤 사역을 하든지 당신이 원하는 대로 하세요. 그것이 하나님께서 원하시는 것 같아요" 하나님께서 아내를 통하여 교회 개척을 하여 단독 사역을 할 수 있도록 응답하여 주셨다.

그래서 그해 12월, 직장에서 명예퇴직하였다. 32년간의 직장생활을 하였기 때문에 6개월 정도 쉬려고 계획하였는데 오히려 아내가 개척을 서둘러서 상가 3층을 임차하여 개척 준비를 하고 명퇴 다음 해인 2015년 1월 24일에 주사랑교회 창립 예배를 드린 후 단독 사역을 시작하였다. 하나님께서 도와주셔서 단독 사역을 잘 감당할 수 있었다. 그러함에도 교회 개척을 하고 담임 사역을 한다는 것이 얼마나 힘든 것인지 경험할 수 있었다. 그렇게 담임 사역을 하던 중 2018년도에 종교인 과세가 시작되었다. 종교인 과세가 시작되자 세무공무원 경력이 있는 세무사인 나에게 여기저기서 종교인 과세 관련 세미나 요청이 들어왔고 매주 한 번 이상 세미나에 강사로 가게 되었다. 교회 담임 사역과 세무사역을 동시에 한다는 것은 나에게 큰 부담으로 다가왔다. 그래서 그해 여름에 사역에 대하여 기도원에 가서 기도하였다. 기도 중 하나님께서 내가 세무 공무원으로 32년을 근무하고 세무사 자격증을 갖게 하신 목적이 이때를 위함이라는 확신하게 하셨다. 그래서 2020년 2월에 교회 담임 사역은 젊은 목사님을 청빙해서 사역을 감당하게 하였다. 지금은 주사랑교회 동역 목사로서 교회를 섬기고 있다. 이제는 교회 전문 세무 사역자로서 길을 가게 된 것이다. 지금은 "월드세무법인 주안에" 대표세무사로서 종교인 과세, 교회 부동산 관련 세금, 퇴직금 관련 세금, 공익법인 관련 세금, 교회 정관 관련 업무를 담당하며 교회 세무 행정 전문 사역자의 사명을 감당하고 있다.

2. 교회가 부동산 취득 시, 취득세를 꼭 내야 하나요?

교회는 국세기본법에서는 "법인이 아닌 법인으로 보는 단체"라고 규정하고 있다. 처음 듣는 사람들은 잘 이해하기 어려운 말이다. 여기서 교회는 법인이 아니라는 표현은 교회는 법인등록번호를 부여받고 등기소에 등기하는 정상적인 법인이 아니라는 것이다. 다만 교회는 법인으로 보는 단체로서 법인에 해당한다는 것이다. 따라서 교회는 세법상 공익법인에 해당한다고 규정하고 있다. 이런 교회의 재산은 민법에서는 총유재산으로 규정하고 있다. 총유재산이라 함은 단체를 구성하는 교인의 지분이 인정되지 않고 교인은 수익권(예배권)은 있으나 동 수익권을 양도할 수 없으며 관리보존과 처분은 교인총회(공동의회) 결의로 가능한 재산을 말한다. 즉 교회가 총유재산을 취득하기 위해서는 먼저 교인총회를 열어서 취득 여부를 결의하여야 한다는 것이다.

김바울 목사님이 시무하시는 교회(장로교회)의 경우 현재 교회가 사용하는 부동산 명의가 목사님 어머니와 장로님 명의로 되어 있다. 이에 목사님은 이런 경우 교회가 부동산을 취득하는 절차가 어떻게 되는지를 물으셨다. 이런 경우 먼저 교회가 부동산을 취득할 수 있는 요건을 갖추었는지를 점검해야 한다. 그것은 교회가 부동산을 취득하기 위해서는 관할 구청장, 시장, 군수 등에게 「부동산등기용등록번호」를 부여받아야 하기 때문이다. 교회가 부동산등기용등록번호를 부여받기 위해서는 '부동산등기용등록번호 부여 신청서, 정관, 회의록, 대표자 인감도장 소속 증명서 및 재직증명서' 등을 첨부하여 신청하면 된다. 부동산등기용등록번호를 부여받았다면 당회가 있는 경우 당회 결의를 거치고 당회가 없는 경우 운영위원회 결의를 거쳐야 한다. 그 후 공동의회를 열어 부동산 취득 관련 가부 결의를 하여야 한다. 공동의회 결의를 거친 후 현재 교회 건물 명의자로 되어 있는 분들과 교회는 증여 계약을 맺고 증여 절차를 밟은 후 법무사를 통하여 등기를 마치면 된다. 이렇게 교회에 부동산을 증여하는 경우 국세인 증여세 과세 대상에서 제외되고 지방세인 취득세 역시 면제된다.

다만 지방세의 경우 취득세 면제 후 종교 목적(예배목적)에 계속 사용하는지를 사후관리 한다. 지방자치단체는 교회가 부동산을 취득 후 3년간 종교목적(예배목적)에 사용하지 않는 경우 면제한 취득세를 추징한다. 또한 취득 후 2년 미만이 상태에서 매각하거나 유지재단으로 명의를 이전하는 경우 추징 대상이 되고 5년 이내에 수익사업(부동산임대)에 사용하는 경우 추징 대상이 된다. 여기서 종교 목적이라 함은 담임목사 사택, 교회 내에 있는 부교역자 사택, 기도원, 교회 주차장 등이다. 종교목적이 아닌 경우는 교회 밖에 있는 부교역자 사택, 기숙사, 예배 시설 없는 예배당, 기도원을 다른 교회에 대여하는 경우 등이 있다.

필자가 경험한 바로는 현재 기독교대한감리회가 2년 이내에 유지재단에 명의를 이전하는 경우가 더러 있어서 취득세 추징을 당하는 경우가 종종 있다. 기감의 경우 교회 부동산을 유지재단에 명의를 이전하지 않으면 교단총회 대의원권을 주지 않는다는 내부 규정(교리와 장정)이 있어서 이런 일이 발생한다. 이렇게 추징당하면 감사원 심사청구에서는 교회에 손을 들어주고 있다. 조세심판원에서는 대부분 교회에 손을 들어 주지 않고 취득세 추징이 정당한 것으로 판단하는 추세다. 그러함에도 필자의 경우 수원에 소재한 작은 감리교회가 2년 이내에 교회 부동산 명의를 이전하여 취득세를 추징당한 것을 조세심판원에 심판청구를 대리하게 되었다. 교회가 이길 가능성이 거의 없는 상태였다. 그러함에도 교회가 부동산을 이전한 것은 단순히 명의만 이전한 것일 뿐 실질 소유자는 교회이며, 교회가 전기료, 수도료를 부담하면서 실질적으로 현재까지 예배 용도에 사용하고 있으므로 취득세 추징은 잘못되었다고 주장하였다. 이에 조세심판원은 교회에 손을 들어 주었고 교회는 취득세 추징당한 것을 구청으로 돌려받았다. 교회는 부동산을 교회 예배 용도로 취득하였다면 2년 이내에 명의를 이전하지 않는 것이 취득세 추징을 피하는 가장 좋은 방법임을 밝힌다.

여기서 잠깐 교회 부동산을 교회가 취득하지 않고 담임목사나 장로 명의로 취득하는 경우 부동산실명법에 어떻게 저촉이 되는지 알려주고자 한다. 특히 시골교회에서 많이 일어나는 것인데 농지를 헌물로 교회가 증여받을 때 교회는 농지를 취득할 수 없다. 이럴 때 대부분 담임목사나 장로 명의로 하는 경우가 많다. 이렇게 교회 부동산을 담임목사 명의로 취득하였을 때는 부동산실명법에 따라 과징금 부과 대상이 된다. 명의 신탁자인 교회는 부동산 가액이 30% 이내에서 과징금을 부과받게 되며, 명의 수탁자인 담임목사 등은 3년 이하의 징역 또는 1억 원 이하 벌금형에 처할 수 있다.

따라서 교회 부동산을 다른 사람 이름으로 등기하면 안 됨을 분명히 밝혀 둔다.

필자가 경험한 바로는 경북 모 교회의 경우 장로 한 분이 교회 출입구의 농지를 교회에 증여하였다. 그런데 농지의 경우 교회 명의로 안 되기 때문에 장로 명의 그대로 두었다. 그런데 불행한 일은 장로님은 소천하였고 장로 자녀들이 교회를 떠났고 현재는 믿음 생활도 하지 않는다는 것이다. 장로 자녀들은 소유권을 주장하면서 교회 입구에 철조망 치는 등 소유권 행사를 하고 있어 담임 목사님이 많이 힘들어하는 것을 보았다. 아직도 결론이 안 난 상태이다. 또한 경기 안성에 소재한 시골교회의 경우는 농지를 장로님이 헌물로 교회에 증여하셨다. 그러함에도 지금까지 명의 이전하지 않은 상태로 교회가 주차장 등으로 사용하고 있다. 그런데 지금 상태로 교회로 명의 이전하면 부동산실명법에 따라 과징금 부과 대상이 될 수 있다. 필자가 교회에 내놓은 방법은 그 부동산을 매각하고 현금으로 장로님이 교회에 헌금할 것을 추천하였다. 이에 교회는 동 부동산을 매각하고 현금으로 헌금을 받아 잘 처리된 사례가 있다. 물론 시골교회에 직접 가서 당회에 참석하기도 하였지만, 필자는 봉사하였고 사례비는 사절하였음을 밝힌다.

또한 안양에 소재한 교회의 경우 기도원이 문제가 되었다. 기도원 취득 당시 예배목적으로 취득하였다는 것을 이유로 취득세를 감면받았다. 그런데 문제가 생겼다. 구청에서 3년이 지난 시점에서 기도원에 와보니 상시로 예배목적에 사용하지 않는 것을 이유로 취득세를 추징하였기 때문이다. 예배목적은 십자가, 강대상, 헌금대 등 예배 시설을 갖추어 놓고 상시로 사용하여야 해야 한다. 기도원을 다른 교회에 빌려주는 것은 예배목적으로 보지 않는다. 기도원은 당해 교회에서만 기도회 등으로 사용하는 것을 지자체에서는 예배목적으로 사용하는 것으로 인정하고 있다. 따라서 교회가 기도원을 소유하고 있을 경우 분명하게 예배목적으로 사용하여야 취득세 추징을 당하지 않는다.

따라서 교회가 주의할 것은 부동산을 예배목적으로 취득하여 취득세를 감면받았다면 반드시 그 부동산은 예배목적에 사용하여야 한다는 것이다.

3. 교회에 갑자기 재산세와 종부게 고지서가 왔어요!

교회가 부동산을 소유하면서 예배목적에만 사용한다면 세금 낼 것은 없다. 다만 예배목적에 사용하지 않는 부동산을 소유하고 있다면 재산세를 내야 한다. 예를 들어 교회 일부를 카페로 사용하거나 임대하였을 경우 재산세 과세 대상이다. 또한 교회 밖에 있는 부교역자 사택은 종교목적으로 인정하지 않으므로 재산세를 내야 한다.

그런데 교회가 부동산을 보유하면서 내야 하는 재산세의 경우 꼭 기억해야 할 날짜가 있다. 그것은 재산세 과세기준일이 매년 6월 1일이라는 사실이다. 재산세는 과세기준일 현재 보유한 토지 등에 대한 과세이기 때문이다. 곧 교회가 과세기준일 현재 보유하는 부동산을 종교목적(예배목적)으로 사용하는지를 판단하는 기준일인 것이다. 교회가 과세기준일 현재 종교목적에 직접 사용하는 부동산에 대한 재산세는 면제 대상이다.

용인이 모 교회 목사님께서 전화로 문의를 하셨다. 교회가 2023년 4월에 담임목사 사택을 구입하기로 하였는데 막상 구매하려는 아파트에 전세 기간이 2024년 5월이 계약만료 기간이라고 하였다. 바로 계약해서 구입하고 싶은데 어떻게 해야 좋은지 질의했다. 이렇게 답변했다. 재산세 과세기준일이 매년 6월 1일이므로 2023년 5월 31일 이전에 잔금을 치르고 구매를 완료하면 6월 1일 기준으로 보면 구매한 아파트가 임대하고 있으므로 재산세 과세 대상이 된다. 따라서 잔금 지급 일자를 6월 1일 이후로 하여 구매하면 2024년 6월 1일 기준으로는 임대 기간이 만료되고 담임목사가 직접 들어가 살게 되면 재산세 과세 대상이 되지 않는다고 답변하였다.

더불어 교회가 소유한 부동산이 아닌 담임목사 등 제3자 명의로 된 부동산을 교회가 무상으로 종교목적에 직접 사용하고 있다면 소유 주체와 상관없이 재산세과 면제된다. 필자가 아는 오산에 있는 예성교단의 모 교회의 경우 교회 명의 부동산 전체를 교회가 예배목적으로 사용하고 있음에도 시청에서 재산세를 부과했는데, 교회 중직자나 담임목사님 등은 시청에서 재산세를 내라고 하니 그냥 내왔다는 것이다. 담임목사님이 재산세를 내는 것이 좀 의아해서 필자에게 전화로 문의하였다. 그래서 시청 세무과에 예성교단 고문세무서 자격으로 전화를 걸어 담당자에게 실제 그곳에 가서 어떻게 사용하는지에 대하여 파악을 하고 과세하였는지 질문하였다. 그런데 실제 나가서 확인하지 않고 탁상에서 예배목적이 아닌 것으로 판단하여 과세하였다는 것이다. 이에 실제 나가서 어떻게 사용되고 있는지 조사한 후 과세 여부를 판단하라고 하였다. 시청 담당자가 출장하여 교회에 나왔고 그 결과 교회가 예배목적으로 사용하고 있음을 확인하였다. 시청에서는 그동안 과세하였던 재산세를 모두 결정 취소하고 교회에 환급하여 주는 것으로 일이 마무리되었다. 사실 전국에 있는 교회 중에 지금도 무지로 내지 않아도 되는 재산세를 부담하고 있는 교회라 있으리라고 본다. 교회가 재산세를 부담하고 있다면 예배목적에 사용하고 있는지 사실 여부를 판단하여 시청에 문의하고 잘못 내는 세금이 있다면 돌려받아야 할 것이다.

교회가 재산을 보유하는 중에 내는 세금의 또 하나는 종합부동산세이다. 종합부동산세는 줄여서 종부세라고 부른다. 교회가 종부세를 내야 하는 경우는 과세기준일 현재 교회가 주택을 소유하기 있는 경우이다. 더불어 교회 부동산이 교단 유지재단 명의로 되어 있는 경우라도 종부세법에서는 개별교회를 실제 소유자로 보아 개별교회가 종부세를 내야 한다고 규정하고 있다. 그런데 교회 대부분은 주택을 소유하고 있더라도 종합부동산세 대상이 안 될 수 있다. 그것은 매년 9월 16일부터 9월 30일까지 "법인일반세율 특례신청서"를 관할세무서에 제출하면 된다. 동 신청서를 제출하는 경우 기본공제 6억 원이 적용되어 교회가 소유한 주택의 기준시가 6억 원 이하면 종부세를 내지 않아도 된다. 6억 원을 초과하여 과세할 때도 세율이 3%에서 1.2%로 경감되어 세 부담이 줄어든다.

필자가 속해있는 예성교단 일부 교회들의 경우 종부세 고지서를 받고 나서 급히 전화해서 어떻게 해야 하는지 문의하는 경우가 있었다. 이 교회들의 경우 9월에 "법인일반세율 특례신청서"를 9월에 제출하지 않아 종부세 고지서를 받은 경우였다. 필자가 직접 세무서에 전화를 걸고 동 교회들이 "법인일반세율 특례신청서" 제출 대상자임을 밝히고 추가로 제출하는 것을 조건으로 종부세를 면제받은 경우가 있다. 따라서 주택을 소유한 교회는 홈택스 및 관할세무서에 우편, 팩스, 방문 등으로 반드시 "법인일반세율특례신청서"를 제출하여 종부세 부담을 줄일 수 있음에 유의해야 한다.

4. 교회 이전으로 건물 매각 시, 꼭 세금을 내야 하나요?

이충성 목사님이 시무하시는 교회 부동산을 양도하였을 때 세무 처리를 어떻게 해야 하는지에 대하여 글을 쓰고자 한다. 다시 강조하지만, 교회는 민법상 비법인 사단에 속한다고 보아 교회 재산은 총유물로서 처분을 위해서는 반드시 교인총회를 거쳐야 한다. 교회 정관에 의결 정족수에 관한 규정이 있는 경우 부동산 양도에 대한 결의는 보통 재적 교인 과반수 참석에 출석 교인이 3분의 2 찬성으로 결의한다.

필자가 경험한 바로는 교회가 부동산을 양도하면서 교인총회를 거치지 않고 법무사가 당회 회의록을 가져오라고 하여 당회 결의 후 당회 회의록을 제출하여 등기를 이전하는 경우를 종종 보았다. 그런데 이런 경우 유효한 등기이전이라고 할 수 없다. 총유재산을 교인총회 결의 없이 처분하였기 때문이다. 민법 또는 판례에 의하면 교회 총유 부동산을 당회 혹은 직원회 의결로 양도하는 것은 부당한 것으로 판단하고 있다. 더불어 규모가 큰 교회의 경우 교인총회를 대신하여 대위원회를 조직하여 대위원회 결의로 양도하는 경우 법적 분쟁을 초래하여 교회가 혼란에 빠질 수 있음을 알아야 한다.

그런데 교회가 부동산을 처분하는 경우 세금을 부담하여야 하는 경우와 그렇지 않은 경우가 있다. 교회가 부동산 처분 당시 법인으로 보는 단체로 되어 있느냐 아니면 개인으로 보는 단체로 되어 있느냐가 중요하다. 법인으로 보는 단체는 고유등록번호 중간 두 자리 번호가 82번이고 개인으로 보는 단체는 89이다. 간혹 80인 경우가 있는데 이는 법인이 아닌 보험설계사 등에게 부여하는 번호이다. 교회가 법인으로 보는 단체(82)로 세무서에 등록이 되어 있고 교회 부동산을 3년 이상 예배 목적(고유목적)에 직접 사용하였다면 부동산을 양도하여도 법인세가 과세 되지 아니한다. 그러나 교회가 개인으로 보는 단체(89, 80)로 되어 있다면 교회 부동산을 3년 이상 예배목적에 사용하였다고 하더라도 양도소득세를 내야 한다.

필자가 교회 세무 행정 강의를 하고자 서울의 모 교회를 방문하고 강의를 마쳤는데 한 장로님이 교회 고유번호등록증을 가져왔는데 중간 번호가 80으로 되어 있었다. 그 교회는 재개발 대상 지역으로 얼마 안 있으면 교회 부동산을 양도할 예정이었다. 필자는 조속히 세무서에서 가서 법인으로 보는 단체로 등록하라고 권유하였고 즉시 법인으로보는단체 82번으로 등록하였다. 만약 그 교회가 그 상태로 교회 부동산을 양도하였다면 수억의 양도소득세를 부담할 뻔하였다. 여기서 주지할 점은 개인으로 보는 단체로 3년 이상 예배목적에 사용하였다면 법인으로 보는 단체로 등록 후 바로 교회 부동산을 양도하여도 법인세 과세 대상이 되지 않는다는 점이다. 교회 부동산 양도 당시 법인으로 등록되어 있으면 법인으로 등록 후 3년 이상 예배목적에 사용하여야 하는 것이 아니라 개인으로 보는 단체에서 3년 이상 사용한 것도 인정되므로 교회 부동산 양도 당시 법인으로 보는 단체였느냐가 중요한 것이다.

더불어 교회가 소유하고 있는 부동산이 총유재산이지만 예배목적에 사용하지 않고 수익사업용을 사용하던 부동산을 양도하는 경우 교회는 법인세를 내야 한다. 이 경우에도 교회가 법인으로 되어 있는 경우 양도차익의 50%는 "고유목적사업준비금"으로 비용으로 처리할 수 있다. 쉽게 설명하면 양도차익이 1억이라고 하면 5천만 원은 고유목적사업준비금으로 비용으로 처리하고 나머지 5천만 원에 대하여만 법인세를 내도 된다는 것이다. 만약 교회 개인으로 보는 단체였으면 양도차익 1억에 대하여 모두 양도소득세를 부담하여야 한다.

그런데 교회의 부동산 처분과 관련하여 가장 무거운 세금인 증여세가 과세할 수 있다는 사실에 대하여 많은 목회자가 잘 모르고 있다. 상속세및증여세법에서는 교회를 공익법인으로 규정하고 있다. 상속세및증여세법에서 교회가 소유한 부동산을 '출연재산'이라고 규정하고 있다. 중요한 것은 교회가 '출연재산'을 매각하였을 때 세무서는 이를 사후관리 한다는 것이다. 사후관리 방법은 교회가 부동산을 양도한 후 양도가액을 1년 이내 30%, 2년 이내 60%, 3년 이내 90% 이상 직접공익목적(예배목적)에 사용하는지를 관리한다는 것이다. 만약 이렇게 사용하지 않을 때 가산세를 내야 하고 3년 이내 직접 공익목적에 사용하지 않는 경우 증여세를 내야 한다. 직접공익목적이라 함은 신규교회 구매비용, 교회 금융부채 상환, 담임목사 퇴직금, 중개수수료 및 법무사 등 비용 등을 의미한다. 추가로 직접공익목적에는 교회가 수익사업용(임대사업용) 재산을 취득하는 비용도 포함된다. 교회가 공익법인으로 부동산을 양도하였을 때 세무서에서 사후관리 하는 방편으로 출연재산 보고를 하도록 하고 있다. 출연재산 보고는 부동산 양도가액을 어떻게 사용하였는지 세무서에 보고하는 것이다. 이 보고는 교회 자체로는 어렵고 세무전문가의 도움을 받아야 한다.

서두에서 밝힌 안양에서 목회하시는 평촌교회 이충성 목사님이 물으셨던 내용이다. 그 목사님은 교회 부동산 중 교회가 전체를 사용한 것이 아니고 일부는 임대한 교회 부동산을 매각하려고 한다고 하였다. 그리고 교회 부동산 매각금액으로 다른 교회를 구매하고 일부는 교회 부채를 변제하고 일부는 자신의 퇴직금으로 받기로 하셨다고 했다. 그럴 때 교회 부동산 양도 절차와 관련된 세금을 어떻게 처리해야 하는지 질문하셨다. 이에 필자와 목사님이 시무하시는 교회는 다음과 같은 것을 자문하여 주기로 계약을 맺었다.

1. 정관변경 및 시행세칙 제정 자문(퇴직금 및 사무연회 결의 과정 자문), 2. 부동산 매각에 따른 법인세 신고 자문(고유목적사업준비금 전입 사후관리 포함), 3. 담임목사 퇴직금 정산 관련 자문(퇴직소득세 신고 포함), 4. 출연재산 보고, 5. 기타 부대 업무 자문

계약 후 가장 먼저 한 것은 정관개정이었다. 필자는 위 교회의 정관에 대하여 자세히 살핀 후 정관을 여러 가지 필요한 규정을 첨가하고 중복되는 규정 및 필요치 않은 규정은 삭제하고 일부 규정은 시행세칙으로 이관하는 작업을 거쳐 교회 정관(안) 및 시행세칙 제정안을 제시하였다. 현대 교회는 정관이 잘 규정되어 있어야 한다. 교회 대부분은 형식적인 정관을 가지고 있다. 정관에 대하여 지면상 모두 다 언급할 수는 없다. 일부 중요한 사항을 말하자면 교인의 권리와 의무에 2중 교적 자는 즉시 교인의 지위를 박탈하는 것으로 정관에 규정되어 있을 때 신천지 같은 이단의 교회 침입을 방지할 수 있다. 또한 교인총회에 대한 의사정족수 및 의결정족수가 민법 규정에 맞게 규정되어 있어야 하는데 교회 대부분은 '참석인원의 과반수 찬성'이라는 규정으로 결의하는 경우가 있다. 이는 아주 잘못된 의결이다. 민법에서는 재적의 과반수 참석에 참석인원의 과반수 찬성이 가장 기본적인 의결 정족수다. 이런 규정도 잘 규정되어 있어야 부동산을 매도할 때도 기본 의결 정족수에 맞추어 매각하여야 적법하다. 만약 기본적인 의결 정족수를 지키지 않는다면 교회가 분란에 휩싸일 위험에 노출되기도 한다. 이와 같은 이유에서 부동산을 매각하기 전 먼저 해야 할 것은 정관을 개정하는 것이었다. 정관개정에 대한 것을 비롯하여 부동산 매

각 및 매각대금 사용에 대하여 공동의회에서 결의하도록 자문하였다.

평촌교회는 공동의회에서 결의한 후 부동산을 양도하고 그 부동산 매각대금을 교회의 금융부채 상환, 신규교회 구매, 법인세 등(용역비 포함), 담임 목사 퇴직금 중간 정산액 지급액 등에 모두 사용하였다. 위 사용은 모두 교회가 공익법인으로서 직접 공익목적(예배목적)에 사용된 것으로 인정된다. 따라서 필자와 교회는 다음 해인 2023년 3월에 부동산 양도가액 중 임대에 해당하는 가액에 대하여 법인세 신고를 하였고, 4월에 출연재산보고서를 제출함으로써 부동산 양도와 관련된 모든 절차 및 세금 업무를 마무리하였다.

교회가 부동산 양도에 관한 과세를 정리하여본다. 먼저 교회가 법인으로 보는 단체에 등록되어 있는가 살펴보아야 한다. 그다음 양도한 부동산을 3년 이상 예배목적에 사용하였는지이다. 3년 이상 예배목적에 사용하였다면 법인세 신고 제외 대상이다. 그러나 3년 이상 예배목적에 사용하지 않았다면 법인세 신고를 하여야 한다. 주의할 점은 교회가 수익사업에 사용하던 부동산이던지 예배목적에 3년 이하 사용한 부동산 및 3년 이상 사용한 부동을 양도하는 경우 즉 교회가 양도한 모든 부동산의 양도일이 속하는 다음 해 4월, 다음다음 해 4월, 다음다음 다음 해 4월 등 3년 동안 출연재산 보고를 하여야 한다.

교회가 부동산 양도 및 그에 따른 세금 업무를 총정리하면 다음과 같다.

첫째로 교인총회 결의해야 한다. 교인총회에서 부동산 양도 및 매각금액을 어떻게 사용할 것인지 결의하여야 한다. 교인총회에 따른 회의록이 정확히 작성되어야 한다.

둘째로 부동산을 양도한 후 양도가액에 대하여 교인총회에서 결의한 대로 사용하여야 한다. 그 사용은 3년 이내에 90% 이상 예배목적에 사용하여야 한다.

셋째로 예배목적에 3년 이하 사용한 부동산이나 수익사업용 부동산을 양도하였을 때 부동산 양도일이 속하는 다음 해 3월에 법인세를 신고하고 납부하여야 한다. 예배목적에 3년 이상 사용한 부동산을 양도할 때는 법인세 신고 제외 대상이다.

넷째로 교회가 양도한 모든 부동산 양도에 대하여 부동산 양도일이 속하는 해 다음 해 4월에 출연재산 보고를 하여야 한다. 교회 대부분에서는 양도일이 속하는 해에 매각금액을 100% 예배목적에 사용하기 때문에 출연재산 보고를 한 번만 하는 경우가 많다. 다만 매각금액을 3년에 걸쳐 사용하면 부동산 양도일이 속하는 다음 해부터 3년 동안 3회에 걸쳐 출연재산 보고를 해야 한다.

결론. 미리 알고 준비해야 절세할 수 있다!

종교인과세가 되면서 교회는 이제 사회 구성원으로서 역할이 매우 증대되었다. 그래서 이제는 교회가 세무 관련 절차를 제대로 밟지 않는다면 사회적으로 더욱 신뢰감을 잃을 가능성이 크다. 그런 의미에서 이제 교회 목회자와 재정담당자들은 교회가 부담해야 할 세금 문제에 대하여 잘 알고 대처해야 할 때가 왔다. 그런데 지금 한국교회 목회자와 재정담당자들이 종교인 과세는 물론 특히 교회가 취득, 소유, 매각하는 부동산 등에 대한 세금 문제의 심각성을 잘 모르는 것이 현실이다. 사실 현행 세법에 규정된 대로 교회에 과세 관청이 세금 부과를 한다면 많은 교회가 많은 세금 부담을 할 수도 있다. 그러므로 이제 교회는 종교인과세는 물론 교회 부동산 관련 세금에 대하여 잘 알아야 하고 그에 대하여 철저한 준비를 해야 한다. 그러면 교회가 부동산을 취득, 보유, 매각하면서 절세하는 방법을 요약하면 다음과 같다.

❖ Check-List. 교회 절세비법

첫째, 교회가 부동산을 예배목적(종교목적)으로 취득할때에는 취득세를 감면받는다. 그런데 지방자치단체는 감면하여 준 세금에 대하여 반드시 사후관리를 하는데 다음과 같은 경우 면제받는 세금을 추징당하므로 주의해야 세금 부담을 줄일 수 있다.

· 본 교회가 예배목적으로 3년 이상 사용해야 한다.
· 2년 이내에 유지재단 등에 명의를 이전하면 안 된다.
· 5년 이내 수익사업(부동산임대, 카페 등)에 사용하지 않아야 한

다.

둘째, 교회가 부동산을 보유하면서 예배목적(종교목적)에 사용할 때에는 재산세를 감면받는다. 그러나 교회가 보유하는 부동산 중 부동산임대 및 카페 등 수익사업에 사용할 때에는 재산세를 부담하여야 한다.

셋째, 교회가 법인으로보는 단체(82)에 해당하고 3년 이상 예배목적에 사용한 부동산을 양도할 때에는 법인세(양도소득세)를 면제받는다. 이런 사실을 알고 교회 사정에 때문에 부득이 교회를 이전하고자 하여도 3년 이상 예배목적에 사용 후 이전하는 것이 절세하는 방법이다.

앞으로 필자는 교회가 사회 구성원 역할을 잘 감당할 수 있도록 도와서 교회와 목회자들이 하나님 나라 확장에 전념하도록 하는 것이 필자의 사명이라고 생각한다. 끝으로 하나님께서 필자에게 주신 달란트를 주님의 뜻을 이루어 가는 데 쓰임 받아 궁극적으로 하나님 나라가 확장되기를 간절히 기도하며 글을 마치고자 한다.

김인숙 ‘사회복지교류분석상담가’

◘ 학력

백석대학교 기독교경영행정학 박사과정 재학

동국대학교 행정학석사 졸업

라이프대학교 M.Div 목회학석사 졸업

◘ 경력

現 서서울생명의전화 이사장

現 한국인성교육문화센터 이사장

現 예장백석교단목사

現 한국상담전문가연합회 Superviser(수련감독)

現 MBTI 성격유형 검사 강사, 상담전문가

現 교류분석 상담전문가

前 서서울생명의전화 원장

◘ 저서

에니어그램으로보는 부모,자녀 의사소통의 비밀 공저

에니어그램 성격유형검사,

EPI 다음세대를 위한 청소년 진단지 개발 · 저작권

내가 만난 하나님, 생명의 전화 이야기

목차

내가 만난 하나님, 생명의 전화 이야기

서론. 내 이름을 부르시고 나를 찾아오신 하나님!

나는 하나님을 아는 바가 전혀 없었으나 우연히 삶의 언저리에서 하나님께서 나타나셔서 저항하는 내 마음을 흔들어 놓으셨다. 그 이름이 처음엔 무척 혼란스러웠고 감당할 수가 없었지만, 내 성격을 아시는 하나님은 성경책을 읽어보게 하셨지만 믿기가 어려웠다. 그러던 중, 예배 시간에 폐병을 고쳐주신 하나님께 감사함으로 목사가 되신 분의 간증을 듣게 되면서 오늘날에도 기적이 있을 수 있다는 사실을 알게 되었다. 내가 이해할 때까지 곱씹어 보고 따지는 성격이라 하나씩 따지느라 내 믿음은 성장하지 못했고 늘 답보 상태에 있었다. 믿음이 꽉 찬 사람들을 만나면 신기하고 그 주변을 맴돌며 진짜로 믿는 건지, 아닌지 물어보고 어떻게 하면 그렇게 잘 믿어지는지 궁금해했다. 하나님은 나의 끝없는 질문을 거절하지 않으시고 믿음 좋은 사람들을 만나게 하시고 조금씩 내 마음의 의문을 풀어주셨다고 생각한다. 늘 말씀이 있는 환경에 있게 하셔서 늘 잊어버려도 제 자리에 있게 된 것을 세월이 지나고 보니 신기하기만 하다. 가족에게도 기적을 체험하게 하셨다. 1981년부터 췌장염으로 고생하던 남편을 1984년에 완치시켜 주셔서 아직도 건강을 유지하고 있고, 나도 자녀를 낳아 기르게 되었다.

"진리가 너를 자유케 하리라"는 말씀을 하나님께서 내게 주셨다.

"내가 너를 구원하였고 내가 너를 지명하여 불렀나니 너는 내 것이라"라는 말씀처럼 하나님은 우리의 이름을 부르시며 사랑으로 품으신다. 수술 후, 맑고 투명한 목소리가 세 번 내 이름을 부르셨고, 나는 긴 터널을 빠져나왔다. 나는 그때, 내 이름을 부르시던 그 목소리를 아직도 기억한다. 믿음을 선물로 주셔서 기꺼이 그 은혜를 누리게 해주시고 내 삶 가운데 찾아오시며 만날만한 때에 만나주시는 분이시다. 그러나 늘 잊어버리고 헤매다가 어려운 일에 부딪히면 다시 하나님을 찾게 되고를 얼마나 반복했는지 모른다. 인간은 참으로 미련한 순례자라는 생각이 든다. 내 삶을 뒤돌아보면서 독자들이 나처럼 미련하고 힘들게 믿음이 없이 고생하지 않았으면 좋겠다는 생각으로 이 글을 쓴다.

믿음의 선배들이 말했다. “덮어놓고 믿는 게 제일 쉽고 좋더라…. 때가 되면 나중에 저절로 다 알게 되는 것을 처음부터 따지고 들면 그 믿음의 과정이 너무 힘들다.”

지금 생각해 보면 성경은 하나님의 말씀이라는 것 하나만 인정하고 그대로 믿으면 될 것을 인간으로서 인간의 잣대로 측량해 보고자 하였으니 그 머나먼 길이 얼마나 힘들었겠는가? 성경 말씀은 수천 년의 역사를 통해 하나님께서 인간을 사랑하셔서 주신 말씀으로 그대로 믿기만 하면 내 삶에서 그대로 나타나고, 내가 갈 길을 인도하여 주시는 것을 알게 되는데, 좀 더 빠르게 순종하지 못해서 안타까울 뿐이다. 지금은 하나님 말씀의 모든 부분에 대해서 어린아이처럼 되었다. 지금은 삼위일체 하나님을 믿으며 편하게 신앙생활을 하게 되었다. 물론 천국과 지옥이 있음을 믿으며 이 글을 읽는 독자들은 나처럼 따지지 말고, 일단 성경 말씀을 하나님의 말씀으로 받아들이면, 각각 정도의 차이가 있겠지만 세월을 단축하고 믿음으로 부요한 삶을 누리게 되리라고 생각되어 권면한다.

1. 미션스쿨, 중2 시절

초등학교를 졸업하고 우연히 입학하게 된 곳이 미션스쿨이었다. 수업 시간 중에 성경이라는 과목이 있었다. 나는 한 번도 들어본 적이 없는 하나님에 관한 이야기를 접하게 되었다. 천지 만물을 창조하신 하나님, 아브라함과 이삭, 야곱의 이야기, 그리고 알지 못한 사람들의 이야기는 너무나 지루했다. 내가 왜 지금, 수천 년 전, 그 사람들의 이야기를 들어야 하는지 도대체 알 수 없었다. 수업 시간에 졸리면 자기도 하고, 시끄럽게 하기도 하다가 결국 급우들에게 영향력을 행사하기로 마음을 정했다.

"얘들아, 너희들도 이 성경 시간이 너무나 지루하고 힘들지? 우리 모두 이 시간에 자기가 좋아하는 책을 가지고 와서 읽고 우리끼리 얘기라도 하자. 아니면 간식도 나누어 먹고 우리끼리 재미있는 시간을 좀 만들어 보자, 왜 저 이야기를 우리에게 끊임없이 계속하는 건지 모르겠는데 정말 아주 힘이 든다."

나는 모범생에서 스트라이크 주동자가 되었고, 몇몇 아이들이 동조했다. '김정은이 대한민국에 중2가 있어서 전쟁을 못 일으킨다는 농담이 있는데' 아마도 나같이 하나도 모르니까 용감하게 앞장서는 사람들은 물불을 가리지 않는 것 같다. 키가 크고 얌전하게 생긴 수업 시간의 방해꾼이 나타나서 떠들어 대니까 선생님도 당황하신 것 같았다. 명색이 성경 선생님이시니까 함부로 야단치거나 벌을 주기도 좀 그렇고, 수업 시간에 교실 밖으로 내쫓을 수도 없고, 생긴 것은 깡패 스타일은 아닌데, 여러 가지로 회유책을 써 보시기도 했지만 쉽게 말을 듣지 않았다. 그러다가 학기말 고사를 보았는데 성경도 시험과목에 있었고 물론 점수가 잘 나올 리가 없었다.

그런데 교회 다니는 친구들이 내가 딱해 보였는지 주일에 교회에 같이 가자고 했다. 이 친구들과 어울리다 보니 교회에 가보게 되었는데, 세상에는 다른 세계에 사는 사람들도 많다는 것을 알게 되었다. 그러다가 차츰 무슨 이야기를 하려고 하는지 들어보고 싶다는 생각도 하게 되었고, 나와는 전혀 다른 사람들의 이야기가 궁금해졌다. 그래서 혼자서 성경을 좀 읽어보았는데 구약은 너무 오래된 이야기라 신약을 읽기 시작했다. 마태복음을 읽는데, 얼마나 많은 기적이 나오는지? 또 다른 걸림돌이 생겼다. 물 위를 걸으시고, '파도야 잠잠하라'고 꾸짖으시는 예수님, 물로 포도주를 만드시고, 날 때부터 눈먼 자도 고치시고, 죽은 자도 살리시고, 오병이어의 기적에 나는 정말 믿을 수 없다고 생각했다. 과학과 문명이 발달한 이 시기에 아직도 이것을 믿고 있는 사람들은 정말 누구인지? 이해가 되지 않았고 하나님은 아마도 요술쟁이가 아닐까 하고 생각하기도 했다. 그럼에도 불구하고 내 마음에 긍정적인 반응을 불러일으키는 부분들이 있었다.

"남에게 대접받고자 하는 대로 너희도 남을 대접하라" (마태복음 7:12). "손 대접하기를 힘쓰라"(롬 12:13). "즐거워하는 자들과 함께 즐거워하고 우는 자들과 함께 울라"(롬 12:15). "아무에게도 악을 악으로 갚지 말고 모든 사람 앞에서 선한 일을 도모하라. 할 수 있거든 모든 사람과 더불어 화목하라. 악에게 지지 말고 선으로 악을 이기라"(롬 12:17-21)

위의 말씀들이 중 2,3학년 시기 내 마음에 자리 잡게 되었다. 그 철없던 시기에 내 생각으로 '성경책에는 이상한 얘기도 많지만 좋은 얘기도 있으니까, 내게 필요한 부분은 부정하지 말자'라고 생각하게 되었다. 성경은 하나님께서 독자, 즉 하나님이 누구인지? 어떤 분이신지 알고 싶어 하는, 사랑하는 자녀들에게 들려주시는 하나님과 관련된 하나님과 인간, 하나님과 자연 만물의 생성과 존재에 관한 이야기이다. 지금 생각해보니, 나는 내가 중심이 되어서 하나님의 이야기를 들어보려고 도전했기에 하나님께서 사랑을 베푸셔서 이해가 안 되는 부분은 건너뛰고 읽을 수 있도록 해주셨음에 감사드린다.

2. 생명의전화 이야기

1976년 나는 YWCA에서 상담클럽 활동을 하고 있었다. 당시에는 상담이라는 용어가 알려지지 않아서 궁금했고 호기심이 생겼다. 우리 멤버는 일단 호기심으로 새롭게 알려지기 시작한 용어에 도전한 여성들의 소그룹 활동이었다. 바로 그때 서울 생명의전화에서 1기 상담원 교육을 시작한다는 소식에 우리는 한번 시도해보자는 생각으로 함께 등록하게 되었다.

생명의전화 이야기는 호주에서 로이라고 하는 한 청년의 이야기로부터 시작되었다. 당시 호주에서 산업화 시대의 물결을 타고 도시로 몰려들었던 젊은이들이 경기가 후퇴하게 되어 공장의 굴뚝산업이 문을 닫기 시작하게 되자 직장을 잃게 된 로이라는 청년은 더 이상 살아갈 방법이 없어서 가지고 있던 모든 물건을 하나씩 팔고 정리하면서 겨우 연명하다가 결국 어느 날 자살을 결심하게 된다. 월세를 내고 살던 집주인에게 마지막 월세를 정리하기 위해 모든 것을 팔았고 끝까지 손에서 떼놓을 수 없었던 라디오까지 팔아서 며칠 분의 음식을 마련하였다. 그리고 그에게는 더 이상 세상 사람들의 이야기를 들을 수 없게 되었다. 그 당시엔 TV가 보급되기 이전이어서 대중 매체는 라디오가 주로 그 역할을 담당하던 시절이었다. 라디오에서는 음악, 연속극, 뉴스, 등등 사람 사는 이야기를 들을 수 있었는데 그것도 팔아버린 단칸 셋방에 혼자 우두커니 서성거리며 중얼대는 자기의 모습을 더 이상 감당할 수가 없어서 자살을 생각하며 뒹굴다가 이 청년은 전화를 걸게 되었다. 평소 라디오에서 귀담아 즐겨 들었던 교회의 목사님이신 알렌 워커 경에게 자기가 죽을 수밖에 없는 사연을 호소하게 되었다. 알렌 워커 목사님은 절대로 자살하면 안 된다고 하셨다. 꼭 목사님을 만나고 나서 다시 생각하기로 하고, 주일에 교회에서 만나기로 약속하였다고 한다. 로이의 쪽지(유서)에 의하면 교회에 찾아갔었으나 너무나 유명한 목사님의 모습을 먼발치에서 뵙고는 가까이 가지 못하고 초라한 자기 모습을 돌아보며 결국 집으로 돌아오게 되었다고 한다. 자기를 불쌍히 여겨달라는 말과 함께 시신 부탁의 글을 남겨놓았기에 이 쪽지는 알렌 워커 목사님에게 전달되었다. 아마도 하숙집 아주머니에게 시신 처리까지 떠맡길 수는 없다고 생각한 것 같다. 그 이후 알렌 워커 목사님은 충격을 받았고 `이 도시에 로이와 같은 청년이 어찌 하나뿐이겠는가?`라는 반문과 함께 이들과 소통하기 위한 도움의 통로를 마련하기 위해 고민을 하게 되었다.

실의에 빠진 어려운 사람들과 소통하는 기관을 만든다는 것은 결코 쉬운 문제가 아니었다. 그들을 돕고자 하는 의지로 사람들이 동참하였지만 어디서 어떻게 도울 수 있는지에 관해서 대책이 서지 않았다. 6개월, 1년, 2년, 꽤 많은 시간이 흘러갔지만 별다른 방안이 강구되지 않았다. 그러던 어느 날, 각자는 사연이 다르고, 사는 곳도 다르다. 자기의 얼굴이나 체면을 드러내지 않고, 어려운 사정을 이야기하는 것이 쉽지 않다는 것에 동감하게 되었다. 그래서 결국 로이와 같은 위기 상황에서 최우선적으로 긴급 채널이 있어야 하고 점차 편하게 선택할 수 있는 다양한 채널이 필요하다는 쪽으로 마음이 모아졌다. 호주의 생명 존중을 위한 준비위원회에서는 결국 로이의 방법을 선택하여 `생명을 잇는 선-life Line`을 창설하게 되었다. 전화로는 얼굴을 드러내지 않아도 되었고, 학력, 경력, 나이, 주소가 중요하지 않으며 익명으로 자기의 사연을 좀 더 솔직하게 말할 수 있으며, 언제 어디서나 아무 때나 이용할 수 있도록 하는 장점이 있다는 것을 알게 되었다. 가끔 해외에 나가 있는 국민들이 고국에 대한 향수를 느낄 때, 한국말로 이야기하고 싶을 때, 삶의 무게를 나누고 싶을 때, 지금도 생명의 전화를 이용하는 것을 보면 부담 없이 나의 이야기를 할 수 있고, 도움을 청할 수 있으며, 세상에서 가장 편리하고, 가장 가까운 곳에 존재하는 문명의 도구인 전화(핸드폰)야말로 생명줄과 같은 도움의 역할을 감당하는 도구라고 생각하게 되었다.

나는 이곳에서 참으로 좋은 사람들을 만나게 된다. 생명의전화와 인연을 갖게 된 지 무려 48년째다. 배우고 듣고 가르치고 연구하기를 끊임없이 거듭하게 되었다. 어떻게 하면 더 좋은 상담을 할 수 있을까? 인간의 문제가 무엇인가? 생로병사, 희로애락을 반복하며 살아가는 인생살이 끝은 무엇인가? 죽음 뒤의 세상에 새로운 연결점은 있는 것일까? 있다면 어떤 것일까?

우리는 날마다 새로운 삶을 살아간다. 아직 한 번도 경험해 보지 못했던 새로운 하루 24시간과 새로운 일들을 만나게 된다. 그럼에도 불구하고 우리는 전혀 새롭게 주어진 하루라는 생각 없이 지루한 일상의 반복처럼 하루를 맞이하고 보내게 되는 경우가 허다하다. 나는 이 지루한 반복에서 벗어나고 싶다. 어떻게 변함없이 영원히 내게 주어진 것 같은 하루에서 벗어나 내 생애 처음 주어진 날처럼, 귀하고 멋진 하루를 재미있고 생동감 있게 맞이하고 보낼 수 있을까? 나는 언제나 어제와 다른 오늘이기를 기대한다. 잠들 때 감사하고, 아침에 일어나면 전혀 찌꺼기가 남아있지 않은 새로운 날을 기대하며 하나님을 바라본다. 나의 부족한 부분을 잘 알고 계시는 하나님이 계셔서 참으로 다행이다. 오랜 수고를 통하여 나는 나의 능력과 역량을 잘 알고 있기에 이제는 고집부리지 않고 주께 아뢴다. 주님의 선하심과 사랑의 품에 내 짐을 내려놓고 은혜로 풀어주시길 간구하며 새롭게 주신 하루 동안 천진난만한 아이들처럼 뛰놀며 지낸다. 나는 점점 어린아이가 되어가고, 우리 주님의 사랑과 은혜는 끝이 없다.

"수고하고 무거운 짐 진 자들아 다 내게로 오라 내가 너희를 쉬게 하리라(마 11:28). 나는 마음이 온유하고 겸손하니 나의 멍에를 메고 내게 배우라 그리하면 너희 마음이 쉼을 얻으리니 이는 내 멍에는 쉽고 내 짐은 가벼움이라(마 11:29-30)".

이 말씀은 끝없이 방황하던 내 영혼이 조용히 닻을 내리게 하는 구심점이 되었다.

3. 삶에서 우연히 알게 되고 만나게 된 사람들

나는 둘째 아이 임신한 것을 모르고 있었다. 감기가 심하게 걸려서 병원에 갔다가 임신한 사실을 알게 되었다. 이미 감기약을 많이 먹었고 축농증도 걸려있었다. 병을 먼저 고치고 아이를 낳아야 하지 않겠는가? 하는 생각을 하게 되었다. 집으로 돌아오는 발걸음이 무거웠다. 얼굴은 수심이 가득하고 고개를 푹 수그리고 땅만 바라보고 터벅터벅 걷고 있었다. 임신 3개월 된 아가를 어떻게 하면 좋은가?

나는 결혼 후 몇 년간 임신이 되지 않아 힘든 시간을 보냈었다. 시댁의 큰 동서들이 모두 딸들만 낳아서 손녀딸들이 다섯 명이다.

이젠 키 크고 늘씬한 넷째 며느리를 보았으니 드디어 아들 손자 보게 되었다면서 연거푸 아들 낳으면, 큰동서에게 하나, 작은 동서에게도 하나, 입양시켜 달라고 농담 삼아 주문도 한다. 시댁은 1년에 20여 번이나 자주 모여 제사와 차례를 지내는 대가족 집안인데, 모일 때마다 소식 있느냐고 눈치를 살핀다. 층층시하에 살면서 막내며느리 노릇 하기가 쉽지 않았다. 유명하다고 하는 병원을 찾아다니기도 했는데, 좀 더 기다리라고 할 뿐이고 세월만 갔다.

그러다가 어느 날 하나님을 찾게 되었다. 결혼 후에는 가끔 나가던 교회도 잊어버리고 살았다. 친구 따라 청년부 활동도 꽤 열심히 했었는데, 원래 집안에 예수 믿는 사람이 없다 보니 교회에 나가야 한다는 생각이 나지 않았다. 시댁은 모임이 자주 있다 보니 수십 년, 지난 것처럼 지루하고 부담이 느껴졌다. 내 처지가 무척 불쌍해 보였다. 게다가 남편은 회사에서 해외 출장이 많아 자주 집을 비웠다. 나 혼자 집에 있기가 무섭기도 했다. 새벽마다 울리는 교회 종소리가 내 마음을 깨웠고 고향 집에서 날 기다리는 엄마의 목소리같이 평안함을 주었다. 그래서 혼자 기도를 드렸다. 처음으로 기도하는데 무엇이 그리 서러운지 눈물이 쏟아졌다. 울다가 벼개에 얼굴을 묻고, 기도하다가 울고, 잠들고, 깨고를 반복하다가 예수님을 만났다. 예수님의 피 묻은 손에는 커다란 종이쪽지가 있었다. 나는 무릎을 꿇고 두 손으로 받았다. 그 쪽지엔 서울대학 병원, 산부인과, 제1 진료실, 검사종목 3가지가 순서대로 적혀 있었다. 나는 이미 서울대 대학병원 산부인과에 다니고 있었으며 불임 환자 전문의사의 진찰과 검사도 한 달 전에 받았었다. 그래서 또 가야 하는지? 하는 망설임도 있었지만, 예수님의 아주 큰 손이 직접 내게 찾아오셔서 주신 그 쪽지의 글이 생생하게 보여서 약속도 취소하고 병원에 빨리 가봐야 한다고 무조건 달려가게 되었다.

나는 진료 신청 접수증을 내가 다녔던 제3 진료실이나 불임 환자 진료실에 내지 않고 중앙접수실에 냈다. 나는 속으로 기도하면서 이 접수증이 과연 어디로 가서, 어느 진료실에서 내 이름을 부르게 될까? 궁금했다. 그런데 꿈에 본 대로 제1 진료실의 간호사가 내 이름을 불렀다. 그리고 원래 나를 진료하시던 의사가 아니고 처음 본 의사는 그 쪽지의 글씨처럼 3가지 검사를 받으라고 하셨다. 이미 한 달 전에 받았던 검사와 겹치는 부분이 있어서 지난번에 받았으니 또 받아야 하는지? 질문을 하니까 기록을 다시 살펴보시면서 오늘 다시 해야만 한다고 하셨다. 그 결과를 보시면서 부모님을 모시고 와야 하는데 시집의 부모님이나 남편은 안되고, 친정 부모만 모시고 오라고 하셨다. 왜 그러시는지 이해가 되지 않았다. 나중에 알게 되었는데, 그 의사는 당시, 우리나라에서 산부인과 수술의 최고 권위를 가지신 신면우 박사님이셨다. 워낙 경력이 많으시고 중후한 어른이시다 보니 새파랗게 젊은 여인이 임신을 못하게 될까봐, 수술을 해봐야 아는 거니까, 그때까지만이라도 편안하게 수술하는데 마음고생을 덜어 주고 싶어서 배려해 주셨던 것이다. 시댁의 가족관계를 들어보시고 말없이 보살펴 주셨던 그 인품에 나도 그런 사람이 되고 싶다며 깊은 감동에 젖었었다. 그 이면에 모든 것을 아시는 우리 주 예수님의 사랑의 손길이 늘 나와 함께 해주고 계심을 믿게 되고, 깨닫게 되었다.

나는 보이지 않는 손길에 의해서 참으로 좋은 사람들을 알게 되고 만나게 되어 뜻하지 않은 기쁨을 누리게 되고 인생을 배우게 되었다. 현재의 나는 나 홀로 자란 것이 아니고 부모님과 형제, 자매, 친구들, 동료들, 이웃들, 그리고 아주 우연히 알게 되고 만나게 된 사람들, 그냥 내 주변에 존재하는 사람들과 더불어 밀고 당기고, 돌보면서 오늘에 이르게 되었다. 그 많은 사람으로부터 받은 사랑과 관심으로 오늘도 힘을 얻고 교류하게 되어 감사하며 늘 기쁨을 얻는다. 물론 그 뒤에는 빛으로, 생명으로 오신 예수님이 우리를 지켜보시고 하나님의 사랑으로 보호하시며 날마다 성령의 감동으로 우리와 함께해주시니 항상 기쁘고 범사에 감사할 뿐이다.

왜 세상살이가 힘들고, 어렵지 않겠는가?

고난이 없고 평탄하기만 한 사람을 본 적이 없다. 돈 많은 사람도 아프지 않은 사람이 없고, 듬직하고 씩씩해보이는 운동선수도 쉬지 않고, 뛰고, 달리고, 훈련의 과정을 거치며 자신의 체력단련을 위해 쉼 없이 노력한다. 공부 잘하는 사람은 공부 잘하기 위해 밤잠도 설치고 학업에 몰두한다. 그렇다고 입시나 시험에 다 붙는 것도 아니고 적당히 만족해야 한다. 일류대학을 나왔다고 해서 취직을 잘하게 되는 것도 아니고 승진을 잘해서 끝까지 만족도가 높은 것도 아니다. 이 세상의 부귀영화가 영원한 것도 아니고 세상의 권세가 10년 가기도 힘들다. 세상 살아가는 동안 잠시 잠깐 누리다가 안개처럼 사라지는 것이다. 꽃의 향기도 열매도 영원한 것이 없는 것과 같다.

사람들이 보는 관점에서 누리는 때가 다를 뿐, 기쁨과 슬픔도 챗바퀴 돌 듯이 돌아간다. 어떤 시점을 주목하고 보느냐가 다를 뿐, 결국 우리 인생살이가 대동소이하다. 고 이병철 사장이 죽기 전에 하던 말이 생각난다. 좋은 집이 있고 침대도 있지만, 건강이 없어서 집까지 걸어갈 수가 없고 좋은 침대 대신 병원의 병상에 누워있어야 하고, 좋은 차가 있지만 차를 타고 다닐 수 있는 기력이 없고, 돈이 있어도 할 수 있는 게 없어서 쓸데가 없으니, 뭐든지 할 수 있을 때 기회가 있을 때 최선을 다하라는 말을 남겼다고 한다. 우리네 인생살이가 많거나 적음에 행복이 달린 것이 아니다. 행복은 내가 어떻게 느끼고 생각하느냐? 보람과 가치를 얼마나 부여할 수 있는 역량이 있느냐에 달려있다고 생각한다. 내가 한참 새벽기도를 다니던 시절, 어느 날 아침, 나는 "진리가 너희를 자유케 하리라"(요 8:32)의 말씀을 큰 소리로 외치면서 잠에서 깨었다. 시계를 보니까 새벽기도에 나갈 시간이었다. 나는 그때 꿈에서 소리치던 말씀을 생각하면서 참된 기쁨은 진리에서 나오고 내 영혼을 자유롭게 해주시리라는 소망을 갖게 되었다. 그래서 어려움과 환란은 진리를 사모하고 나가기 위한 연단의 과정이라고 생각하며 이 또한 지나가리라는 마음을 가지고 기도하면서 자유로운 영혼을 바라보게 되었다.

4. 즐거워하는 자들과 함께 즐거워하고, 우는 자들과 함께 울라

남편 가문은 한 달에도 두 번 정도의 제사와 차례, 생신을 준비했다. 작은아버지 댁은 9남매이고, 일가친척이 모두 많은 시절이라 밤이 새도록 이야기가 끊이지 않았다. 우리는 자연스럽게 사람 살아가는 이야기를 들었고 웃고 울다가 제사상이 차려지고 엄숙하게 읊조리고, 목 놓아 곡하고 돌아가신 조상들을 애도하며 살아계신 부모님들에게 효도를 다짐하고 형제자매 오는 사람마다 마주 앉아 절을 하며 지내던 시절이 엊그제 같은데 이젠 까마득하다.

생명의전화 이야기는 이러한 내 주변의 가족의 사연들을 어느 정도 맥을 같이 하고 있었다. 사람 사는 이야기가 천차만별인데 상담자로서 나의 마음가짐과 태도는 이미 중2 때 인생의 황금률이 되었다. 시댁 식구들과의 관계에서 넷째 며느리였던 내가 아무 데나 함부로 끼어들면 안 되고 잘 들어주어야 한다는 것을 배웠다. 그리하다 보면 자연스럽게 경청, 공감대가 형성되고, 우는 자와 함께 울고 웃는 자와 함께 웃을 수 있는 기본이 형성되어서 내가 상담하게 된 것은 우연이지만 이미 모든 것이 계획된 것처럼 내 인생의 방향을 설정해 놓은 것처럼 흘러간 것만 같았다.

사람들이 내게 질문을 한다. 생명의전화 상담은 상당히 어렵고 힘들어서 죽음까지도 마다하지 않는 어려운 상황에 처한 사람들과의 만남인데, 힘들지 않느냐? 어떻게 얼굴이 평온한 것을 보니 무슨 특별한 비결이 있는가? 그토록 오래 유지할 수 있는 비결이 있는가? 등등의 질문을 하면 나도 다시 한번 생각해 보게 된다. 비결이나 능력이 있는 것이 아니라 너무도 힘든 사연을 만나서 그들의 애환에 동화되어서 하나가 되다 보면 자연적으로 그들과 함께 웃고 울게 된다. 그러다 보면 내담자의 마음도, 상담자의 마음도 하나가 되어서 삶의 찌꺼기가 줄어들게 되고 아주 조금씩 문제해결의 실마리를 찾아 함께 나설 수 있게 된다. 내담자가 조금은 가벼워진 마음으로 용기를 얻고 희망을 갖게 될 때, 내 마음도 희망과 용기를 얻게 되고 기쁨으로 회복된다. 네가 대접받고자 하는 대로 너도 남을 대접하라" 나는 상담자로서 나의 내담자에게 모든 언행과 마음가짐이 내가 대접받고자 하는 대로 나의 내담자를 대접하고자 최선을 다한다. 그러나 이런 깨달음은 내담자의 반응이나 그들이 내쉬는 안도의 한숨을 통해서, 해결의 실마리가 조금이라도 보일 때 나오는 희망의 빛이 내게도 전달되고 하나가 될 때, 나도 기쁨과 엔돌핀이 흐르는 것을 느끼게 된다. 나의 내담자는 나의 동료이며 친구이다. 상하가 없는 수평관계를 이루는 구조에서 허심탄회하게 모든 이야기를 나눌 수 있고 비밀은 철통같이 지켜진다. 타인의 비밀을 지키는 것은 상담자의 제1의 본분이요 당연지사다. 48년 동안, 영유아, 어린이들의 이야기부터 학습, 진로 상담, 부부문제, 이혼 상담, 사별, 이별, 파산, 성 문제, 가정폭력, 학교폭력, 청소년 범죄예방, 자살 문제와 자살 예방 등등 문제에 시달렸다기보다는 어떻게 하면 더 좋은 상담을 할 수 있을까? 고민하고 연구하며 시간을 보냈다. 나는 요즈음 내가 '빅데이터가 되었구나' 하고 생각하게 된다. 거의 모든 분야의 상담을 거치게 되었고 상담전문가, 슈퍼바이져로서 상담원교육과 실제를 가르치며 사례관리를 해왔다. 나의 짧은 인생사에도 꽤 많은 사람이 등장하게 된다.

성경 말씀에도 하나님의 이야기가 나오고 수없이 많은 사람의 이야기가 나온다. 나는 처음에 '하나님, 등장인물이 너무 많아요. 좀 줄여 주시지 않구요, 이렇게 많으면 너무 복잡해서 어떻게 하라구요?' 질문을 했다. 1600년에 걸쳐서 40여 명의 저자들에 의해 기록된 하나님의 말씀인데, "모든 성경은 하나님의 감동으로 된 것으로 교훈과 책망과 바르게 함과 의로 교육하기에 유익하니 이는 하나님의 사람으로 온전하게 하며 모든 선한 능력을 갖추게 하려 함이라"(딤후 3:16~17)라고 기록되어 있다.

아마도 대부분이 나처럼 자기중심적인 생각을 하고 있어서, 하나님은 많이 듣고 보고 깨달아 알 수 있도록 반복해서 말씀해 주셨으리라고 생각한다. 지금은 인간이 깨닫는 것이 더딘 관계로 하나님 보시기에 꼭 필요한 분량이 오늘의 구약과 신약으로 정해졌으리라고 믿게 되었다.

5. 생명의 전화, 국제 대회에 참석하다.

1983년 가을 일본 동경에서 생명의전화 아시아대회가 개최되었다. 그 당시에는 비행기 타고 해외로 간다는 것이 쉽지 않은 일이었다. 여권을 만들기도 어려웠고 일반화 되어 있지 않아서 모두 지원을 망설였다. 최소한도 3박 4일간의 회의 기간이 필요한데 집을 비우고 해외로 나간다는 것이 가슴 설레는 일이기도 하지만 가정

주부들이나 직장인들은 자녀들과 가족을 두고 떠나는 일이어서 힘들었다. 더구나 비행기를 타고 다른 나라에 왔으니까 주변 관광이라도 좀 해야 하지 않겠는가? 라는 의견도 있어서 최종 일행은 7명으로 줄었다. 언어는 공적 프로그램에 대해서는 동시통역 시스템이 갖추어져 있고 인솔은 경험 있는 연장자와 가이드 팀이 있어 안전은 보장되었다. 회의의 내용이나 주제에 대해서는 책자로 통·번역이 되어 있어서 외국어를 몰라도 별로 문제가 없었다. 우리나라와 일본, 대만 등의 동양 아시아인들의 삶의 문제에 대한 인식이 성 문제라든가 가족 의식 등등이 다른 부분도 있지만 대동소이 하다고 느끼기도 했다.

처음으로 다른 나라 사람들의 삶의 현장을 보면서 우리와 어떻게 다른지 차이가 나는 것에 대해서도 보고, 들으니까 쉽게 알 수 있는 것들이 많았다. 공식 행사가 끝나고 우리는 일본에서 가장 높은 해발 3,776미터의 활화산인 후지산을 관광하기로 되어 있었다. 가이드가 활화산이라고 하자 우리는 겁먹고 괜찮은지 걱정했다. 가이드는 등산로가 아주 잘 정비되어 있으며, 일본 최고의 관광지이며 사시사철 등산객이 붐비는 곳이니 걱정하지 않아도 된다고 했다. 가는 길이 얼마나 정비가 잘 되어 있는지, 산천의 구불구불한 작은 도로가 꼭대기까지 그렇게 포장이 완벽한 곳은 처음이라서 가이더에게 질문을 했다. 일본은 농촌, 어촌, 산촌까지 모든 도로가 포장이 거의 완료되어 있다고 말했다. 한국 전역의 도로포장 공사가 완료되려면 앞으로 30~40년쯤 걸릴 것이라고 덧붙였다. 나는 속으로 설마 하면서 우리는 그렇게 오래 걸리지 않을 거야, 라고 부르짖으며 우리나라의 발전을 빌었다. 남의 나라가 잘 정비 되어 있는 것을 보면서 저절로 내 나라 걱정을 하게 되는 자신을 보며 새삼스럽게 놀래기도 했다. 외국에 나와서 보니, 나의 나라, 나의 민족, 조국을 생각하게 되는 놀라운 모습을 발견하게 되었다. 그때부터 나는 애국자가 되었다. 누구에게 특별히 가르침을 받지도 않았는데, 나는 대한민국의 국민이고, 대한민국의 국민으로서 살아가야 할 운명의 공동체라는 것을 나는 그날 확실히 깨닫게 되었다.

그 후로 나는 기회가 주어지는 대로 국제 대회에 참석하게 되었다. 미국, 카나다, 호주, 뉴질랜드, 노르웨이, 남아프리카 공화국 등의 나라에서 열리는 회의에 참여하면서 세계의 역사와 문화에 눈뜨게 되었다. 듣고 보는 것이 많아지게 된 것이다. 그만큼 나와 다른 사람들의 삶에 대해서 귀 기울이고 생각해 보는 시간이 많아진 것이다. 동양이나 서양이나 문화와 풍속이 다를지라도 결국 사람 사는 동네에 가장 필요한 것은 관심과 배려, 돌봄과 인내, 끝까지 기다려 주고 사랑하는 마음, 측은지심 등이 필요하다. 이러한 인격을 이루는 요소가 부족하거나 적절하게 반응하지 못하게 될 때, 섭섭하고 화가 나게 되고, 참을 수 없게 되어 관계가 깨지거나 헝클어진다. 성공한 사람들의 비결 중의 하나는 인간관계를 원만하게 잘 맺어가는 사람들이라고 한다.

바쁘게 돌아가는 삶의 언저리에서 잠시 여행을 할 수 있었다는 것은 큰 행운이었다. 회의에 참여하는 목적 있는 여행이어서 언어가 달라서 힘들었지만, 보람이 있었고 쉬어갈 수 있는 여유가 생겼다. 그 옛날, 우리 아이들이 어렸을 때는 방과후 수업이 있었고 하루에 도시락을 네 개나 준비해야 했다. 새벽에 일어나면 밤늦게 귀가할 때까지 기다려야 했다. 그러던 차에 친정어머니의 도움으로 회의에 참석하고 돌아왔는데 며칠간, 밥을 안 하고 쉼을 얻은 탓인지 여행에서 돌아오고 난 후엔 다시 일상으로 순조롭게 복귀할 수 있었다. 병원에 입원하기 직전의 상태로 몸이 좋지 않았는데 내 몸의 상태가 현격히 좋아진 것을 알게 된 후로는 병원에 입원한 셈치고 다녀와야지 하면서 다녀오기도 했다. 이는 전적으로 몇 년에 한 번씩 내게 휴가를 허락해주신 어머니 덕분이며 뒤에서 돌보아 주시는 하나님의 사랑과 은혜임을 늘 고백하며 감사드리게 되었다. 이것이 내가 여행을 사모하고 계속 갈 수 있었던 또 하나의 이유이며 안목을 넓히는 성장의 계기가 되기도 했다. 이 또한 예기치 않은 기회가 내게 주어져서 무난하게 힘든 중년의 과제를 수행하고 자녀들을 키워낼 수 있었음에 감사드린다.

내가 부족할지라도 하나님은 나의 기도를 들어주시고 응답해 주시리라는 믿음으로 늘 주의 이름을 부르며 살아갈 수 있게 사랑을 공급해 주셨다. 주의 이름을 부를 때마다 마음이 평안해지고 어려운 일들을 감당해 낼 수 있었다.

6. 작은 일에 충성하라

나는 어린 시절 부모로부터 사랑을 듬뿍 받았고, 과보호도 받았다고 생각한다. 엄마의 말에 의하면, 아버지는 내가 넘어져서 무릎이 살짝 긁혀 있으면 엄마나 오빠들에게 애기를 제대로 돌보지 않아 다치게 했다면서 야단치셨다고 한다. 사랑을 많이 받고 자라서 그늘이 없고 담대하지만, 과보호를 받아서 상당히 겁이 많고 늘 소녀 같은 여린 마음이 있다고 생각한다. 나는 상담전문가 훈련을 받으면서 자기분석 과정을 통해 담대하면서도 여린 마음을 가졌고, 여리면서도 담대한 이중성을 가지고 있음을 알게 되었다.

늘 새로운 일을 시작할 때는 무척이나 망설이고 조심스럽다. 결정하기까지 시간이 너무 오래 걸리기도 한다. 그러나 한번 마음먹으면 변함이 없고 강한 추진력을 가지고 일에 매진한다. 결과가 나올 때까지 매듭을 확실히 짓는 성격이다. 이러한 내 성격에 꼭 맞는 말씀이 있다.

“착하고 충성된 종아 네가 적은 일에 충성하였으매 내가 많은 것을 네게 맡기리니 네 주인의 즐거움에 참여할지어다”(마 25:21).

일반적으로 사람들은 세상사와 연결된 일들에 대해 관계를 설정하고 행동하는 태도에서 질과 양을 따지거나 크거나 작다, 많거나 적다, 존중하거나 경시하다 등의 잣대를 가지고 임하는 경우가 많다. 내 마음의 기본 바탕에 크고 많은 것을 따지지 않고 하나님 앞에서 부끄럽지 않게 살아야 한다는 어린아이와 같은 마음이 있다. 아마도 어린 시절 엄마, 아빠 앞에서 보살핌을 많이 받은 것 같다. 야단맞은 기억이 별로 없고 엄마는 늘 내 것을 잘 챙겨주셨다. 아무튼 나는 뭔가 큰일을 해야 한다는 생각이 별로 없었다. 그래서 이 말씀을 읽게 되었을 때 마음에 감동이 왔다. 적은 일에 충성할 때 무척 마음이 뿌듯하고 편하다. 나에게 큰일을 하라고 하면 부담스럽다. 차곡차곡 조금씩 하면서 성취감을 맛보며 편한 일을 선택했다. 그리고 만족스럽게 잘하고 싶었다. 많이 거절하기도 하지만 내가 키가 커서 그런지 속도 모르고, 사람들은 자꾸 내게 일을 떠맡기기도 한다. 그러면 나는 적은 일에 충성하라고 하신 하나님 말씀대로 열심히 하다 보니 늘 내게는 떠맡은 일들이 많았다. 나중에 깨닫고 보니 성의껏 해온 일들이 쌓여서 점점 일머리가 쌓였고 나의 경력이 되었다.

세상에서 가장 어렵고 힘든 사람들이 죽겠다고, 자살하겠다고 분통을 터트리고 나선 사람들과 소통하기란 쉬운 일이 아니었다. 나는 그런 일을 하는 사람들의 마음이 귀하게 느껴져서, 너무 힘들게 생각되어 조금이라도 도와주고 싶은 마음이 있었다. 말하자면 우는 자에게 손수건이라도 건네주고, 눈물 닦아주며, 하소연을 들어주고 위로 하며 함께해줄 수 있다면, 한 달에 한두 번 몇 시간 정도, 나도 누군가를 위해 봉사하며 살아야 한다고 생각했다. 우연히 알게 된 생명의전화에서 일하는 사람들과 함께하는 것은 좋은 일이라고 생각했다. 그래서 그냥 조금 시간을 내게 되었고 남편도 시간을 내어 행사에 참여하며 돕고자 했다. 그러나 하나님은 내 안에 있는 여리고 어린이 같은 마음의 천성을 꺼내어 쓰게 하셨다.

한국에 생명의전화를 탄생시키셨던 이영민 목사님은 서울은 인구가 천만 명이 넘으니까 센터가 몇 개 더 있어야 할 필요성을 말씀하시고 내게도 권면하셨다. 나는 시작 부분만 도와주면 되는 줄 알았다. 그러나 일을 모르기 때문에 할 수가 없다고 하니 조금만 더 하면서 잘 만들어 놓고 나오리라고 생각했는데 설립자로서 모른 척하고 함부로 떠날 수도 없는 처지여서 내 평생의 천직이 되었고 지금은 이사장을 하고 있다. 내 삶에서 우연히 만나서 알게 된 사람들은 과연 우연일까? 라는 생각이 든다. 일을 하다 보면 꼭 필요한 사람을 중요한 시점에서 만나게 되어 해결점을 찾아간 적이 한두 번이 아니다. 내가 너무 힘들어할까 봐 하나님은 내가 만날 사람들을 내 주변에서 만나게 해주셨다고 생각하기도 한다.

내가 만난 하나님은 사랑 그 본체이시다.

중2 때 처음으로 마태복음을 읽기 시작하다가 성경에는 좋은 명언도 많다고 느꼈던 그 시절, 고아와 과부를 불쌍히 여기라, 나그네에게 손 대접하기를 힘쓰라는 등등의 말씀들을 보면서 하나님에 대해서 꾸준히 생각하게 되었다. 그 어마어마하신 권능의 하나님은 지극히 작고 불쌍한 한 영혼을 사랑하셨고, 눈길을 떼지 못하고 지켜보시며 안타까워하시는 분이라고 생각했다.

“예수께서 비유로 말씀하시되 내가 주릴 때 너희가 먹을 것을 주었고 목마를 때에 마시게 하였고 나그네 되었을 때 영접하였고 헐벗었을 때 옷을 입혔고 옥에 갇혔을 때 와서 보았느니라…. 어느 때에 병드신 것이나 옥게 갇힌 것을 보고 가서 뵈었나이까…. 여기 내 형제 중에 지극히 작은 자 하나에게 한 것이 곧 내게 한 것이니라 하시고"(마 25:35-40).

"작은 자 중 하나에게 냉수 한 그릇이라도 주는 자는 내가 진실로 너희에게 이르노니 그 사람이 결단코 상을 잃지 아니하리라"(마 10:42).

하나님은 악을 미워하시며 의로운 분이시다. 우리에게 갈 길을 인도하시기 위해, 친히 가르치시고, 율법을 주셔서 죄를 깨닫게 하시고 우리의 죄를 밝히 보여 주신다. 스스로 자기를 돌아보게 하시고 죄를 뉘우치고 회개하라고 말씀하신다. 이기적이고 자기중심적인 인간을 불쌍히 여기시며 언제든지 용서해 주신다.

"베드로가 형제가 내게 죄를 범하면 몇 번이나 용서하여 주리이까 일곱 번까지 하오리이까, 예수께서 이르시되 일곱 번을 일흔 번까지라도 할지니라"(마 18장 21~22).

하나님의 성품을 닮아 넓은 마음으로 형제를 사랑하며 죄를 미워하되 언제든지 무한대로 용서하고 더욱 사랑하라는 뜻이 내포되어 있다. 하나님은 무한한 사랑을 가지고 계시고, 참으로 의로운 분이셔서 죄를 깨닫고 회개하여 형제를 언제든지 용서하며 서로 사랑하기를 원하신다.

"피차 사랑의 빚 외에는 아무에게든지 아무 빚도 지지 말라 남을 사랑하는 자는 율법을 다 이루었느니라"(롬 10장 8절)

오래전 바로 옆집 사람과 10여 년을 같이 살면서 주차 문제로, 자녀들이 놀다가 싸우고, 때리기도 하고, 상처가 나기도 했다. 사소한 문제들이 걸려서 심기가 아주 불편했던 적이 있다. 아침저녁으로 눈을 마주치는 사이인데 사이좋게 지내다가 될수록 멀리 떨어져서 부딪치지 않으려고 힘들어하던 때가 있었다. 옆집에서 늦게 귀가하면 우리 집 앞에 차를 세워놓는다. 아침에 시간 맞추어 출근해야 하는데, 옆집 초인종을 눌러야 하고, 눌러도 빨리 나오지 않고, 아침에 불편한 언사를 토하기도 싫고…. 나는 그때 어떻게 원수를 사랑하나요? 라고 하나님께 질문했었다. 물론 음식도 나누고 전도도 했었고, 교회에 나오기도 했다. 마음을 주려고 노력했는데 너무 힘들었다. 그래서 사랑하는 것은 포기하고 미워하는 마음이 없어지기를 기도했다. 미워하는 마음이 없어지는 데에도 오랜 시간이 걸렸다. 미움이 사라지고 나니까 비로소 내 마음에 평안이 찾아왔다. 내 마음에 미움의 문제가 해결되기까지 하나님은 움직이지 않으셨다고 생각한다. 그때 그 섭섭했던 마음들은 그들을 긍휼히 여기는 마음으로 바꿔주셨고 하나님은 내 마음의 쓴 뿌리를 빼내고 좀 더 넓은 마음을 품을 수 있도록 10여 년을 기다려 주시며 사랑으로 함께 해주셨다.

내가 만난 하나님은 참 좋은 분이시다. 내가 육신의 아버지 무릎에서 아무것도 모르면서 철없이 잘 자란 것처럼 하나님은 완전한 사랑으로 나를 돌보시고 가슴에 안고, 등에 업고, 우리의 은밀한 기도를 즐겨 들으시고 응답하시는 분이시다. 내가 하나님을 만나게 된 것은 참으로 큰 행운이다.

결론. 독자들에게

나는 대한민국 남한에서 태어나 종교의 자유를 누리게 되어 누군가의 전도를 받아 하나님의 자녀가 된 기쁨을 누리며 살고 있다. 그래서 나의 기도 제목 중 제1번은 "종교의 자유가 보장되는 복된 나라에 살게 해주셔서 감사드리며, 우리도 우리의 후손들에게 종교의 자유가 보장되는 나라를 물려주게 하옵소서"이다. 우리나라에 종교의 자유가 없었다면 나는 지금의 믿음을 얻을 수 없었을 것이다.

사사기 시대의 이스라엘 백성처럼 나는 이사 갈 때마다 내 발로 교회를 찾아가지 못했다. 값도 없이 주신 그 큰사랑을 잊어버리고 지나칠 때마다 말씀을 전하고 함께 교회 가자고 전하는 자를 만나게 해주셨다. 이 나라에 사는 사람들은 복 받을 기회가 많은 것이다. 나는 가족관계에서, 생명의전화에서 무수히 많은 사람을 만나게 되었다. 더욱이 국제 생명의전화를 통해서 수많은 인류의 문제들을 접하며 인간에 대해서 알게 되었다. 인류가 당면한 삶의 고난과 고통의 언저리에 관심과 사랑이 요구된다. 이기심이나 욕망이 배제된 자기의 유익을 구하지 않는 `순수한 그리스도 예수의 사랑`이 필요하다.

"아버지 저들을 사(용서)하여 주옵소서, 자기들이 하는 짓을 알지못함이니이다"(눅 23:34).

예수님은 십자가에서 피를 다 쏟으시고 생명이 끊어질 때도, 우리 인간들의 죄를 위해 하나님께 용서를 구하셨다. 많은 나라의 사람들이 하나님을 알 수 있기를 기도한다. 우리 죄를 대신 담당하시고 죄의 문제를 해결하신 예수 그리스도를 알고 믿음으로 구원받을 수 있는 진리를 알아야 한다. "복음에는 하나님의 의가 나타나서 믿음으로 믿음에 이르게 하나니 오직 의인은 믿음으로 말미암아 살리라"(롬 1:17). 태어나서 지금까지 한 번도 죄를 짓지 않고 실수도 없이 평생을 살아온 사람은 하나도 없다. 우리 인간은 각자 자기 죄의 문제를 해결하고 구원받을 수 있는 믿음의 길이 열려 있음을 알아야 한다.

지구상에 50% 정도는 종교의 자유가 없는 나라에 살고 있다. 최소한도 종교의 자유가 있고, 전도할 수 있고, 개인의 자유로운 삶이 보장된 나라에서 행복한 삶과 미래를 꿈꾸며 살아갈 수 있는 신앙의 자유가 보장된 나라를 바라본다. 나의 다음 세대, 우리 자녀들과 후손들이 하나님을 알게 되고, 만나게 되어 믿는 사람이 누리는 축복이 무엇인지 체험을 통해 경험하고 확실한 믿음을 소유하기를 원한다. 내가 알게 되었고 믿게 된 하나님과 내 삶의 길에서 만나주시고 갈 길을 인도해 주신 그 하나님을 이 글을 읽게 되는 사람들이 만날 수 있기를 기대하며 이 글을 마친다.

신재협 '기독교보호관찰행정가'

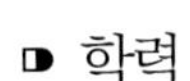

학력

백석대학교 기독교경영행정학 박사과정 재학

백석대학교 신학대학원 M.Div 목회학 석사 졸업

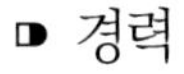

경력

現 그루터기교회 담임목사

現 W.S.A.(캠퍼스 동아리) 대표

現 법무부 남부보호관찰소 보호관찰위원

現 주민자치위원회 위원

이메일 / SNS

이메일: aime18@hanmail.net

페이스북: www.facebook.com/jaehyub.shin

인스타그램: www.instagram.com/j.h.shin_1229

미래를 찾아서

목차

미래를 찾아서

서론. 미래가 없는 학교 밖 아이들?

"왜 깡패 영화에는 애들이 안 나오는지 알아?"
"미래가 없기 때문이야."

어릴 적 한석규, 박상면, 이미연이 나오는 '넘버3' 영화가 유행이었다. 현재도 마동석, 설경구 등이 출연한 조폭 영화가 흥행하듯 나의 학창 시절에도 조폭 영화가 유독 인기가 많았다. 많은 영화 속에 유독 지금까지 귀에 맴도는 대사가 있었으니 바로 '넘버3'의 한석규와 이미연의 대화였다. 한석규는 조직의 이인자 자리를 두고 박상면과 대립한다. 그때 연인이었던 이미연이 한석규에게 몇 마디 던진다.

사실 지금 생각해보면 아무 의미 없는 대사일 수 있었는데, 그때 이 대사를 듣고 정말 많은 생각을 했다.

'진짜 조폭 영화에 애가 나오지 않네? 왜 그러지?'
나중에 아이를 낳고 더 깊은 의미를 깨달았다. 아이 앞에서 욕설 같은 험한 말은 절대로 하지 않게 되고, 나쁜 행동, 나쁜 말 등 아이의 정서에 좋지 않은 모든 것들을 하지 않게 된다. 배 속에 있을 때부터 먹는 것, 보는 것, 생각하는 것조차도 통제된다. 우리는 이렇게 아이를 위해 최선을 다한다. 나의 미래, 우리의 미래이기 때문이다.

1. 빛과 어둠 그 사이에서

내가 생각한 미래가 어두웠기 때문일까? 학창 시절 학교에서 소위 잘나간다는 친구들과 재미있는 학창 시절을 보냈다. 공부도 신앙도 겉보기에는 아주 착실했지만, 어른들의 눈을 피해 친구들과 어울리며 나름대로 일탈을 즐기곤 했다. 철저히 이중생활을 했다. 가정과 교회에서는 '교회 오빠'로 착실하게, 학교와 친구들 사이에서는 당구를 치고, 오토바이 타고, 연기 좀 날리는…. 당시에 LPG 가스통 배달하는 형들이 유독 눈에 띄었다. 125cc의 'VF'라 불리는 얄상한 오토바이의 쇼바를 한껏 위로 치켜올리고 크락션의 소리를 개조해서 휘황찬란하게 거리를 헤매는 모습이 멋있어 보였다. 이 오토바이의 특징은 키가 다섯 가지 밖에 없다는 것이다. 그래서 다섯 대 중 한 대는 키가 같다는 장점이자 단점이 있었다. 고2 때 키가 있었다. 너무 늦은 밤, 버스는 끊기고, 택시비는 없고, 옆에 'VF' 한 대가 고맙게도 빵끗 웃어준다. 내가 갖고 있던 키로 생명을 넣어준다. 이 녀석 덕분에 집에 안전하게? 빠르게? 올 수 있었다. 간혹 동네 가스배달 집 형들이 짜증을 낸다. 출근하면 자신의 오토바이가 사라질 때가 종종 있었기 때문이다.

난 착실하게 학교에 다녔다. 남들은 인문계 다니면 대학 가려고 열심히 공부하는 줄 안다. 그런데 인문계에서도 직업반도 있고, 수포자도 있다. 물론 난 대학에 가려고 많은 노력을 했다. 90년대 고딩의 삶은 고달팠다. 7시 30분 0교시를 듣기 위해 아침 일찍 일어나기 때문에 삼당사락(3시간 자면 붙고, 4시간 자면 떨어진다)이라는 말도 생겨났다. 그런데 난 참 운이 좋았다. 고3 시간표 덕분에 조금 천천히 학교에 가도 됐다. 1교시 체육, 생물/지구과학 교차 수업, 불어/중국어 교차 수업 등 반 이동 수업이 있어서 출결이 까다롭지 않은 수업이었다. 걸어서 5분도 안 되는 거리에 오토바이를 타고 학교로 간다. 가난한 형편에 드라이기가 없었던 나에게 오토바이 등교는 좋은 시간이었다. 우선 머리를 감고 대충 수건으로 말리고 시동을 건다. 시원한 바람에 머릿결이 바람에 날아가며 자연풍 드라이를 선물한다. 학교 교문과 조금 떨어진 곳에 특히 학생부 선생님들 눈에 띄지 않는 곳에 조심스레 주차한다. 그리고 학교와 맞닿은 산으로 올라간다. 산에 가면 매점 뒷문과 연결되어 있다. 산행과 좋은 공기, 고3이 누릴 수 있는 최고의 시간이다. 일단 집에서는 일찍 나와도 0교시, 1교시를 지나 10시쯤 들어간다. 매점 떡볶이집 사장님과는 오래전부터 친해진 사이이다. 사장님은 텃밭을 가꾸는 척하며 선생님이 계신지 사인을 준다. 안전하다. 아무렇지도 않게 무사히 학교에 들어간다. 교문을 지키던 학생주임 선생님은 내가 항상 자신보다 먼저 학교에 오는 줄 안다. 그거면 됐다.

학생들이 바글바글 다니던 무한경쟁 시대에 '나는 뭘 해야 살 수 있을까?' 정말 고민이 많은 시절이었다. 영화나 뉴스를 보면 미래가 그려지지 않았다. 누군가가 '법보다 주먹이 가깝다.'라고 말한 것처럼 세상의 모든 것들이 온통 부조리와 비뚤어진 모습으로 비쳤다. 그래서인지 항상 굴절된 시각으로 세상을 보게 됐고, 내 삶도 그렇게 반듯하게 나가지 못했다.

당시 나에겐 대학에 가야 한다는 압박과 공부에 집중할 수 없는 상황이 늘 팽팽하게 대치하곤 했다. 0교시에 등교하고, 야간자율학습을 하고, 독서실에서 자리 잡고 공부를 하고…. 그러나 0교시는 아침 바람 쐬는 산행으로, 야간자율학습은 친구들과 당구 치러가는 시간으로, 독서실은 야밤에 합법적으로 어울리는 놀이터로 변신했다. 간혹 대형학원을 등록하고 공부 좀 해보겠다고 아주 짧게나마 다짐도 해봤다. 수학의 정석 집합 부분은 항상 너덜너덜하다. 참

신기한 것은 누구나 그렇겠지만 마음을 먹을 때 유혹의 그림자가 꼭 온다는 것이다.

나는 노원에서 가장 큰 학원에 다녔다. 친구들과 후배들이 어울려 재미있는 저녁 시간을 보낸다. 그러다 후배 중 한 친구가 화장실에서 그만 시비가 붙었고, 다음 날 원치 않는 단체전이 준비됐다. 설마 했는데 사실이 되어버렸다. 5-8명 정도씩 편을 나누고 학원 근처 놀이터로 갔다. 우리가 수적으로 불리했다. 하필 나에게 가장 덩치가 큰 친구와 제일 잘나갈 법한 양아치로 보이는 친구가 스파링 파트너가 되어버렸다. 다른 친구들이 승승장구할 때 나만 놀이터 여기저기로 던져졌다. 순식간에 단체전은 끝났고, 수적 열세에도 불구하고 우리가 승기를 잡았다. 지나는 어른의 신고로 다 같이 경찰서로 갔고, 그곳에서 경험할 수 없는 신기한 대질신문을 경험했다.

'아아…. 이런 식으로 서로 의심하게 하고, 이간질해서 불게 하는구나….'

좋은 경험이었다. 그 이후 종종 경찰서에 갈 일이 있었지만, 거기보다는 검찰청이 좀 더 분위기가 좋았다. 쾌적하고 조용한 환경에 묵직한 분위기. 다 이야기할 수 없지만, 학창 시절을 후회 없이 재미있게 보냈다.

이렇게 신나게 밖에서 노는 동안 부모님은 내가 이렇게 재미있게 사는지 전혀 몰랐다. 철저한 이중생활로 학교에서는 재미있게 노는, 가정과 교회에서는 착실하게 조용하고 얌전한 학생으로 이미지를 잘 만들어갔다.

중등부, 고등부 회장, 청년부 리더, 찬양인도자…. 소위 교회 오빠라 불리는 모습으로 착실하게 신앙생활을 했다. 어른들이 보면 나의 미래가 밝게 빛난다고 해야 하나? 반듯하게 자라고 있는 내 모습에 미래는 분명 좋은 일들이 있을 거라며 기대했을 것이다. 그러나 정작 나는 그러지 못했다. 겉으로는 잘하는 척. 속으로는 미래에 대한 불안과 알 수 없는 답답함과 공허함에 몸부림치는 젊은 청소년, 청년일 뿐이었다. 아무도 내 말에 귀를 기울이지 않고 오히려 당연히 해야 할 것이라며 다그치며 내 고민과 아픔에 무관심했다. 이런 청소년기를 보낸 나에게 중요한 것은 칭찬받지는 못할망정 아이들에게 아픔과 상처를 주면 안 되겠다는 생각이었다. 우리는 종종 '나'라는 개인적인 생각 때문에 '우리'라는 공동체를 잊고 산다. '나'라는 존재에 대한 이기적인 생각으로 나만을 위한 삶을 살아서 행복하다면 다행이겠지만 돌아보면 그렇지도 않다. 주변을 둘러보면 참 많은 청소년, 청년들이 있다. 우리에겐 아주 중요한 미래이다. 그들은 분명 우리에게 어떠한 방법으로든 사인을 보내고 있다. 조금만 관심을 두고 돌아보면 충분히 알아챌 수 있는 가까운 거리에 있다.

성인이 되고 교회에서 학생이 아닌 교사가 될 수 있었던 20살에 나를 착하게만 봐왔던 어른들이 교회학교 교사를 꼭 해야 한다며 추천해주었다. 별다른 거부감없이 교사한다고 말했고 북한도 무서워한다는 중학생을 맡아 보기로 결심했다. 사춘기 중학생을 만나는 경험을 먼저 해서 그런지 청소년기 아이들의 마음을 훤히 들여다보게 되었다. 아이들도 곧잘 따르고 마음에 공감해주는 형으로 교사로 지내게 되었다.

결혼하고, 목사가 되고, 뒤돌아보니 항상 학교 밖, 또는 학교에서 제법 논다고 말하는 친구들과 자주 만나게 되었다. 현재는 법무부 보호관찰 위원으로 활동하며 법적인 일탈을 통해 보호관찰 대상이 된 친구들과 일대일 결연을 하게 되었다. 보호관찰 위원으로 활동하며 결연 아이들의 상담과 진학 지도도 하고 있다. 이렇게 아이들을 만나다 보면 참 안타까운 일들이 너무 많다. 대부분 범죄로 인한 보호관찰이지만 조금만 주의하고 예방했다면 이렇게까지 오지 않았을 텐데 아쉬움이 가득했다. 폭행, 사기, 성매매 등 입에 담기도 무서운 범죄이지만 아이들의 이야기를 듣다보면 평범했던 친구들이 순간 범죄자가 되어버리는 것을 알 수 있다. 누구나 범죄의 위험에 노출되어있고, 조금만 방심하면 돌이킬 수 없는 길을 갈 수 있다. 자의든 타의든 범죄의 길로 접어든 청소년, 청년들은 스스로 후회하지만, 외부로부터 소외되기도 하고, 자신 스스로 소외의 길을 가기도 한다. 범죄의 예방은 멀리 있지 않다. 사례를 많이 접하고 미리 예방하는 것이 중요하다. 사기를 치려고 눈을 부릅뜨고 덤벼드는 자를 막는 것은 절대 쉽지 않다. 이제 내 주변에 청소년, 청년들이 미리 범죄를 예방하고 안전한 생활을 하길 바라는 마음에 몇 가지 사례를 제시하고자 한다.

2. 사례1: 폭력, 집단생활, 오토바이, 빚

보호관찰을 받는 아이들의 환경을 보면 부모님이 바쁘시거나 안 계셔서 제대로 된 돌봄이 안 되는 경우가 많다. 미성년 아이들의 경우 가정, 학교, 기관 등에서 돌보는데 이러한 돌봄의 영역을 벗어난 친구들이 대다수이다. 가정환경이 좋지 않고 맞벌이로 바빠서 아이들과의 관계가 좋지 못한 경우가 대다수이다. 이러한 아이들은 학교도 제대로 출석하지 않거나 자퇴 또는 퇴학 처리되어 학교 밖 청소년이 되기 일쑤이다. 가정과 학교 밖 청소년들은 지역아동센터 등에서 돌보는데 이마저도 인력이 부족하고 외부에서 맴도는 청소년들을 돌보기에 턱없이 부족한 환경이다. 이러다 보니 가정, 학교 밖 청소년들은 또래 집단을 형성하고 그들만의 문화를 만들어간다. 대표적으로 가출팸이라 불리는 친구들이 그렇다. 가정과 학교의 통제를 벗어나 또래 집단에서 원하는 행동들을 모의하고 실행한다. 누구의 간섭과 통제도 없이 위험하게 행동하게 된다. 기본적으로 성인의 흉내를 내고 싶은 청소년들은 흡연과 음주를 하게 되는데 구매의 과정부터 심상치 않다. 예를 들어 담배는 미성년자에게 판매가 불법이기에 아이들이 지나가는 어른들에게 요구하기도 한다. 이때, 좋지 않은 모습으로 예의 없게 요구하는 경우가 대다수이다. 무리 지어 있는 청소년들에게 성인이 피해를 보는 것이다.

보호관찰을 받던 한 중학생 남자 아이를 만났다. 이 친구는 폭력으로 기소되어 가정법원에서 보호처분을 받게 되었다. 1호부터 10호까지 처분이 있는데 1호부터 5호까지는 시설에 들어가지 않고 6호부터 10호까지는 분류심사원이나 치료감호소, 또는 소년원으로 들어간다. 폭행으로 보호관찰 처분을 받은 이 친구는 본인이 억울한 사연이 있다고 했다. 이야기를 들어보니 친구들 간에 말다툼이 있었고, 격해진 상황에 집까지 찾아가 폭력으로 번졌다는 것이다. 그런데 피해자는 학교폭력의 일방적인 피해자가 아니라 쌍방의 과실인데 피해자가 과장해서 가해자의 과실이 가중되었다고 했다. 친구들 사이에 이야기가 번지면서 의리 있는 다른 친구들이 피해자를 더 괴롭혔고, 피해자는 오히려 비웃으며 법으로 다 해결되니 합의 아니면 법원 처분을 받으라며 여유를 부렸다고 한다. 물론 일방적인 이야기여서 들어주고 말았다. 형사, 검사, 법원으로 가면서 억울한 사람도 분명히 있겠지만 자기 행동에 반드시 대가가 따른다는 것을 잊지 말아야 한다.

보호처분으로 나와 만나 상담을 이어가는 동안 함께 어울리는 친구들을 많이 만나게 되었다. 대부분 일진이라고 불리는 소위 싸움 잘하고 잘나가는 친구들이었다. 무리 지어 다니며 어른 흉내 내길 좋아했고, 흡연과 음주를 통해 무리의 힘을 과시하기도 했다. 어떻게 이렇게 지내게 됐는지 가정에서 부모님은 어떠신지 물어보게 되었다. 우선 부모님은 세 남매와 가정의 유지를 위해 맞벌이를 하시게 되었고, 자녀들의 학업과 생활보다 벌어오는 수입으로 생활을 유지하기에 급급해 보였다. 용돈을 제법 주기는 했지만, 이 용돈이 어떻게 쓰이는지에는 큰 관심이 없었다. 아이들은 용돈을 학업이나 건전한 생활에 쓰기보다 피시방, 당구장, 음주, 흡연과 같은 유흥에 대부분을 사용했다. 이 친구를 만나면서 특이했던 점은 또래 집단의 결속력이었다. 그래서인지 조폭들이 생활하는 유튜브에 관심을 가지게 되었고 결국 집단 생활하는 곳으로 들어가게 되었다.

중학교 2, 3학년 아이들에게 고등학교 2, 3학년 선배들은 하늘처럼 높아 보인다. 보호관찰 대상자였던 친구도 고등학교 2, 3학년쯤 되는 18, 19세 형들에게 인정받고 어울리고 싶어 하는 욕구가 있다. 당연히 형들은 후배들에게 좋은 것을 가르치지 않는다. 담배 심부름, 유흥에 필요한 자금 조달 등 동생들을 절대 좋을 길로 가게 하지 않는다. 그런데도 동생들은 소위 잘나가는 형들 밑에 있고 싶어 한다. 내가 만난 형이라는 19세 친구는 동생들에게 오토바이를 타라고 설득하고 배달 일을 하면 돈도 벌고 잘나가는 친구들과 어울릴 수 있다고 설득했다. 어린 친구들은 형들의 말에 로망을 품고 집을 나와 형들과 합숙하며 자신들이 하고 싶어 하는 일들을 마음껏 누리며 산다. 형들이 말하는 오토바이는 이렇다. 어린 친구들에게 보험은 매우 비싼 금액이다. 특히 오토바이는 더욱 위험하기에 보험료율이 굉장히 높다. 개인으로 유상 배달 보험을 낸다면 1년에 1천만 원은 족히 넘어간다. 그래서 대부분 리스를 활용한다.

만약 리스를 이용한다면 오토바이 가격과 보험료를 포함한 금액을 매일 내야 한다. 20대 초반의 친구들도 3-5만 원 정도의 금액을 내는데 10대 미성년자는 얼마나 더 비싸겠는가. 하루하루 일수를 찍듯이 리스 비용을 내야 하는데 하루라도 쉬면 납부 금액이 두 배가 되기에 오토바이를 타는 순간 금전적인 노예로 전락하게 된다. 하루를 쉽게 보면 얼마 안 되는 것 같지만 한 주, 한 달, 한 해를 생각하면 어마어마한 금액이 된다. 그리고 매일 돈을 잘 벌 것 같지만 절대 쉽지 않은 일이라는 것을 금방 알게 될 것이다. 이렇게 어린 친구들이 형들의 속삭임에 쉽게 넘어가고 마치 신종 인신매매처럼 일수의 늪에 빠지고 쉽게 빚쟁이가 되어버린다. 웬만한 성인도 감당할 수 없는 금액을 어린 나이부터 짐을 지게 되고 학업과 더 먼 길로 갈 수밖에 없다. 돈에 예민해진 어린 친구들은 형들의 단속과 제한된 생활로 더 깊은 나락으로 빠진다. 풍족하게 넘치면 마음도 여유롭겠지만 절대 그렇지 않다. 매일매일 일하고 돈 모으고 갚고, 부족하면 빚지고 이자가 올라가고 부채가 쌓여가고. 또 다른 범죄의 가능성은 커지고 생활도 점점 피폐해져 간다.

청소년들은 돈, 힘, 권력, 명예를 쉽고 빠르게 얻고 싶어 한다. 청소년들뿐만 아니라 성인들도 마찬가지이다. 그러나 성인들은 수많은 삶의 경험을 통해 유혹에 쉽게 빠지지 않는다. 이렇게 쉽게 유혹에 빠져 헤어 나올 수 없는 빚의 구덩이에 빠진 친구들이 생각보다 많다. 가정에서 조금만 신경 쓰고 돌봐주고 올바른 방향을 제시해줬더라면, 학교에서 선생님들이 조금만 더 인생의 길을 가르쳐 줬더라면, 주변에 좋은 어른들이 관심과 사랑으로 지켜봐 주고 세상에 모든 것이 절대 쉽게 얻어지는 건 없다는 진리를 차근차근 설명해줬더라면 얼마나 좋았을까 아쉬움이 남는다.

3. 사례2: 가출, 절도, 사기

어느 날 처남에게 연락이 왔다. 고2, 중2 되는 남, 여학생이 있는데 위기 임신 상태인데 도와줄 수 있는지 물었다. 이 둘에게는 각자 엄청난 양의 이야기가 담겨 있었다.

우선 남자 친구는 6남매의 장남으로 밑으로 여동생만 5명이고 그중 두 명의 동생은 중증장애가 있다. 나중에 안 사실이지만 장남인 본인만 친아빠가 아니었다. 이 친구는 초등학교 저학년일 때부터 가출을 일삼아 본인이 스스로 자유를 누리며 살았고, 주변 아동센터들을 제집 드나들 듯 편하게 오갔다. 편모 가정이었고, 밑으로 동생들이 많다 보니 자연스럽게 부모의 관심과 양육을 제대로 받지 못했다. 또래 친구들과 더 많이 어울렸고, 가정, 학교, 기관의 교육과 돌봄을 받지 못해 생각하는 것이 일반적인 청소년기 아이들과는 매우 다르다.

보통 가정의 돌봄을 받지 못하는 친구들은 밤에 활동한다. 사람들의 눈에 띄지 않는 어두운 시간에 활동하는 것을 즐긴다. 대중교통이 끊기고 택시비가 없는 상황에 필요한 이동 수단은 자전거이다. 방치된 자전거를 타고 멀리 이동하기도 한다. 최근 자전거 동호회가 늘어나면서 자전거의 가격도 1천만 원대를 넘기는 경우도 많다. 아이들은 가격은 모르지만 일단 자신의 이동을 위해 절단기로 열쇠를 자르고 목적지에 간 다음 당근에 올려 현금을 만든다. 혼자서는 힘들어도 두세 명 모이면 용기가 나서 당당하게 멋쩍게 웃어가며 절도, 특수절도를 저지른다. 한동안 돈을 벌어보겠다고 발버둥을 치기도 했다. 그런데 어려서부터 밤, 낮이 바뀐 생활을 하다 보니 정상적인 아르바이트도 소화하기가 힘들다. 학교생활도 제대로 한 경험이 없다 보니 무언가를 꾸준히 열심히 하기 정말 힘들다. 일용직 근로자처럼 하루하루 돈 버는 일을 해야 한다. 그것도 꾸준히는 택도 없다. 하루 벌어서 일주일에서 보름 살다가 돈 떨어지면 다시 일용직 아르바이트를 한다. 청소년들은 아르바이트에 제한도 많다. 부모동의서, 신분증, 계약서…. 이런 정상적인 업무를 하지 않으면 고용주나 사업장에 큰 피해를 준다. 실제로 아이들이 부당하다고 생각하면 자신의 지위?를 이용해 협박하기 때문에 법적인 절차에 따라 미성년자 고용을 하지 않는다. 참 다행이지만 갑자기 금전적인 어려움을 당한 청소년들에게는 돈을 벌 기회가 많이 없어졌다. 안타깝게도 이런 일들이 다시 쉽게 돈을 버는 범죄로, 도박으로 이어지기도 한다.

4. 사례3: 성매매(조건만남), 위기임신, 미혼모

여자친구의 사연도 만만치 않다. 4남매 중 셋째로 지내다 초등학교 고학년쯤 부모님은 이혼했고 엄마는 지방에서 무속인으로 활동한다. 아빠와 지내던 중 수년간 삼촌에게 성적인 추행도 당하고 여동생에게 들키기도 하는 수모를 겪었다. 이뿐만 아니라 추행에 걸리자 수치심에 삼촌을 신고했는데도 오히려 아빠에게 빰을 맞으며 집안 망신시킨다고 당장 고소를 취하하라는 협박 아닌 협박도 당했다. 그 일 이후 외가가 있는 강원도로 이주해 엄마도 아빠도 멀리 떨어져 지냈다.

이 둘은 서로 온라인상에서 친해졌으며 오프라인상에서 만나 함께 밤거리를 배회하던 중 호감을 느끼고 교제하게 되었다. 그러던 어느 날 여자친구의 몸이 이상한 것을 감지하고 임신하게 된 것을 알게 되었다. 둘은 함께 지낼만한 곳이 마땅치 못했다. 가출 청소년들이 그렇듯 길거리를 배회하다 24시간 무인 영업하는 곳에서 노숙하고 찜질방이나 피시방을 전전하며 지냈는데 임신 중이라 몸도 불편하고 특히 태아에게 안 좋은 영향이 될 것 같아 용기를 내어 어른에게 연락한 것이다.

그런데도 이런 청소년들을 받아 줄 만한 기관은 없다. 우선 아무리 부부와 같은 관계라 해도 청소년이기에 남녀의 공간은 엄격하게 분리된다. 그런데 여자친구는 아직 나이가 많이 어린 터라 서로 떨어져 있기를 싫어했다. 그리고 무서워했다. 부모의 허락을 받아 우선 남자 친구의 집에 머물렀다. 아직 둘 다 어려서인지 서로가 서로에게 힘이 되어 주고, 책임을 질 만한 생각은 전혀 없었다. 그저 일반적인 아이들처럼 자고 싶고, 게임 하고 싶고, 놀고 싶은 아이들이었다. 곧 아이가 나온다고 해도 그건 신기한 경험일 뿐 어떠한 책임도 의무도 생각나지 않는다.

둘을 잘 설득해서 국내 미혼모 시설에 여자친구를 보냈다. 여자 쪽 부모는 아무런 반응도 없이 출산 날이 다 되도록 별다른 움직임은 없었다. 이제 곧 출산이다. 중2 나이, 15세(만 13세)의 어린 나이에 아이를 출산한다. 참 마음 아픈 것은 엄마가 미성년자이기에 어떠한 권리도 의무도 없다. 법적 보호자의 보호가 있어야 한다. 다행히 출산 바로 전 엄마와 만남이 있었다. 초등학교 이후 처음 만난 엄마이다. 그러나 자기 딸이 너무 어린 나이에 임신하고 출산한다는 사실에 엄마도 여러 만감이 교차했다. 출산 이후 다행히 엄마는 아이를 데리고 산후조리를 도왔다. 출산 이후 아이는 엄마와 처음으로 따뜻한 교감을 나눴다. 때때마다 오는 문자와 전화 목소리를 듣다 보면 그저 아이일 뿐이다. 엄마와 그냥 함께 있는 것이 얼마나 좋은지 말끝마다 엄마가, 엄마랑, 엄마는…. 이렇게 어리고 아직도 엄마가 필요한 나이인데 오히려 엄마가 되었으니 얼마나 힘들까.

어린 두 아이는 처음으로 엄마와 아빠가 되어 아이의 출생신고도 했다. 그러나 둘 다 미성년자인 이유로 양가 부모님 동의도 있어야 했고, 우여곡절 끝에 어린 두 부모 사이에 더 어린아이가 세상에 이름 석 자를 걸고 빛을 보게 되었다.

그런데 이 일은 그저 시작에 불과했다….

엄마는 A형, 아빠는 O형, 그런데 아이가 B형이 나왔다. 자연스럽게 아빠라고 생각했던 남자 친구는 이별을 준비했고, 결국 헤어졌다. 엄마의 엄마는 이혼 후 딸을 돌볼 생각이 없었지만, 아이의 현실에 불쌍함을 느껴 함께 지내며 산후조리부터 생활을 도왔다. 우선 '친자인지소송'을 했고, 수개월 오랜 시간이 흘러 사귀던 남자 친구가 아빠가 아니라는 것을 알게 되었다.

위기 임신은 어떠한 상황이 됐든 피해야 한다. 아기, 엄마, 아빠 모두를 힘들게 한다. 가장 좋은 방법은 위기 임신 예방이다. 어떠한 피임도 안전한 피임은 절대 없다. 위 사례는 다행히 아이를 건강하게 출산했고, 아기의 엄마, 출산 청소년의 엄마, 미혼모 기관, 행정기관 등 다양한 곳에서 지원해 주어 지금은 건강하고 밝게 잘 자라고 있다.

어떤 여자아이들은 불법 채팅, 소셜미디어, 오픈 채팅방 등 다양한 채널을 통해 돈을 벌려고 한다. 일명 '조건만남'을 통해 성매매하는데 처음 접하는 게 어려워서 그렇지 한 번 경험하면 쉽게 돈을 번다. 그 과정에서 서로에게 치명적인 성병도 걸리게 되고, 아주 위험한 불법적인 행위들이 오가기도 한다. 이런 범죄에 익숙한 사람들은 기록이 남지 않는 채팅 어플을 이용하고, 카드 사용 내역이 남으면 안 되기에 현금으로, cctv 등 기록이 남지 않는 모텔보다 자신의 승용차를 선호하기도 한다.

5. 사례4: 억울함

아이들은 종종 억울한 일을 겪는다. 지난번 언론에서 크게 떠들썩하게 한 사건이 있었다. 뉴스에서 연일 학교폭력이라며 사건을 크게 다뤘고, 폭행의 가해자와 피해자가 극명하게 갈리는, 누가 봐도 폭력의 현장이었다. 나 또한 그 뉴스와 sns에 올라온 이야기를 보며 비난하고 있었다. 그런데 알고 보니 가까운 사이의 학생들이었다. 기사가 올라온 이후로 기자들이 가해자를 수소문해서 찾고 있었고, 소문은 점점 더 흉흉해져서 가해자의 신상은 물론 부모, 형제의 신상까지 다 털려서 협박 문자에 시달리고 있었다.

사건의 경위는 이러했다. 가해자라고 말하는 친구와 피해자라고 말하는 친구는 서로 다른 학교에서 소위 잘나가는 일진들이었다. 채팅방에서 서로 언쟁을 주고받으며 맞짱을 뜰 준비가 단단히 되어 있었다. 약속의 날이 다가올 때쯤, 한 친구가 남친과 오토바이를 타다가 다리를 심하게 다쳤다. 이미 채팅방에서 언쟁의 우위를 점치던 친구는 목발을 짚어서라도 결투의 현장까지 오게 됐다. 중요한 것은 지하주차장에 서로의 세력들과 다양한 연령층이 한자리에 있었다는 것이다. 아무도 오가지 않고 인적이 드문 지하주차장에 양쪽 세력만 자리를 잡고 있었다. 마치 어른들이 격투기를 하듯, 유튜브에 유행하는 길거리 격투를 하듯 서로 둘러 모여 흥이 나는 한판을 벌인 것이다. 격투의 당사자들은 고2, 지인들은 20세를 넘긴 성인들도 있었다. 그들은 마치 영상을 기록하듯 동영상을 찍었고, 둘의 싸움을 말리려는 사람은 단 한 사람도 없었다.

몇 달이 흘러 누군가가 이 영상을 유명 인플루언서 계정에 제보했다. 동영상은 누가 봐도 일방적인 폭력이었으며, 약자를 괴롭히는 일진 싸움꾼이 몸을 다쳐 괴로워하는 약자를 무자비하게 폭행하는 영상이었다. 유튜버의 영향력으로 단 하루 사이에 어머어마한 사람들에게 전달됐고, 이어서 방송국 9시 뉴스에 언급되기도 했다. 나는 기자에게 연락해서 앞뒤 사정이 그렇지 않으니 정정보도를 바란다고 전달했으나 기자와 해당 부서는 별다른 반응이 없었다. 오히려 다른 방송국과 뉴스뿐 아니라 시사 프로그램까지 등장하게 되었다. 뒤늦게 사실을 알게 된 신문사 한 곳만 사실관계를 대충, 아주 대충 써놓고 기사만 일단락됐다. 이후 가해자라고 언급한 당사자와 가족만 무자비하고 잔인한 전화와 문자에 시달리게 되었다. 차마 입으로 담을 수 없는 욕설과 비난이 가족들을 괴롭혔다.

싸움을 말리지 않고 낄낄대며 구경하고 영상까지 찍었던 성인을 포함한 친구, 지인들. 그 영상을 보란 듯이 유튜버에게 전달한 친구. 분명히 상황을 알면서도 말이다. 그리고 앞뒤 사정도 모르면서 일방적인 폭행이라며 여론을 몰고 간 유튜버. 나중엔 잘못한 것 없으니 고소하든지 말든지 알아서 하라고…. 그리고 사실관계 알아보지도 않고 누가 올렸는지도 모르는 영상을 퍼다가 기사로 만든 기자들.

한 사람, 한 가족을 죽이는 게 어렵지 않았다. 실제로 이 가족은 극단적인 선택까지 생각할 정도로 마음의 큰 어려움을 겪었다. 아직도 진실이 밝혀지지 않고, 그냥 잠잠히 조용해졌을 뿐 비겁하게 숨어서 아무도 잘못했다 말하지 않는다. 약자에겐 강하고, 강자에겐 약한 비겁한 행동 아니겠는가? 정의를 외치며 고발한다던 영상의 진실은 오히려 얼마나 더러운 것들에 오염되어 있는지 알 수 있었다. 정의가 아니라 구독자와 조회수로 벌어들이는 수입. 결국 돈과 유명세 아니겠는가. 이렇게 우리의 미래는 물질 만능으로 어두워져 가고 더러움에 물들어가고 있다.

법무부 보호관찰위원을 하며 아이들을 만난다고 하니 많은 사람이 특수한 사역을 한다며 위로의 말을 건넨다. 그러면 나는 웃으며 아니라고 말한다. 이제 내 일은 절대 특수하지 않다고…. 아이들의 절대적인 숫자는 줄어든다. 그렇다면 범죄율, 소년범 수감자의 인원도 줄어야 한다. 그런데 줄지 않는다. 이제 범죄를 경험한 친구들이 그렇지 않은 친구들의 수를 넘길 수도 있다.

위에서 언급한 친구들의 사례 말고도 더 자극적이며 위험한 사례들이 상당하다. 가장 가까운 곁에서 지켜보는 측면에서 보면 정말 안타깝고 불쌍한 생각이 든다. 어른들의 관심과 사랑이 위기에 있는 아동, 청소년들에게 큰 힘이 될 수 있다. 남들이 보기에 분명히 나쁜 짓이고, 멀리해야 할 일들이지만, 반대로 생각하면 가까이 가서 반드시 고쳐줘야 할 의무이기 때문이다. 아이들은 제대로 된 교육환경에서 자라지 못했다. 가정에서, 학교에서, 교육 기관에서…. 단 한 곳에서도 무엇이 옳고 무엇이 잘못된 일들인지 제대로 배우지 못했다. 만약 이런 아이들을 방치한다면 더 큰 재앙으로 더 큰 아픔으로 다가올 수 있다. 오늘날도 '묻지마' 범죄처럼 사회에 깊은 불만을 품고 자신의 화풀이를 불특정 다수에게 행하는 범죄가 기승을 부린다. 누군가가 곁에서 멘토가 되어주고, 그들의 이야기를 들어주며 무엇이 옳은지 그른지를 알려준다면 세상은 더 좋은 방향으로 충분히 갈 수 있다.

폭력, 가출, 성매매, 미혼모 등등 주변에 많은 청소년이 신음하고 있다. 이 아이들의 일은 결코 남의 일이 아니다. 내 아이도 잠재적인 범죄자가 될 수 있기 때문이다. 어른들이 먼저 아이들의 성향을 파악하고 그들의 문제점을 먼저 찾게 되면 분명히 미리 예방하고 더 좋은 길로 나아갈 수 있다. 세대 간의 소통은 그만큼 중요하다. 우리도 한때는 잘나가는 청소년, 청년이었던 것을 잊지 않았으면 좋겠다. 어른들, 부모님들이 경험한 일들을 우리 아이들이 경험하고 있다. 아이들의 아픔을 누구보다도 더 잘 아는 것은 부모, 어른, 멘토들이다.

처음 언급했던 것처럼 아이들이 '미래'이다. 우리가 살아가는 이유와 힘은 미래가 있기 때문이다. 미래가 없다면 굳이 열심히 살 필요도, 힘을 내어 잘 살 필요와 이유가 없다. 주변을 돌아보면 신음하는 '미래'의 소리가 들린다. 조금만 더 관심을 갖고, 조금만 더 시간을 내어 대화 해주고, 조금만 더 사랑을 베풀어 이 세상은 아직도 따뜻하고 살아갈 만하다고 말하고 싶다.

아이들이 위기에 빠진 이유는 절대적으로 어른들의 잘못이며 '나'의 책임이다. 내가 건강하게 바로 살아가고, 잘못된 환경을 바로잡고, 부족한 부분에 온전한 것을 채우면 세상은 분명히 밝아진다.

결론. 사랑으로 보는 미래

"너는 네 형제를 마음으로 미워하지 말며 네 이웃을 반드시 견책하라 그러면 네가 그에 대하여 죄를 담당하지 아니하리라 원수를 갚지 말며 동포를 원망하지 말며 네 이웃 사랑하기를 네 자신과 같이 사랑하라 나는 여호와이니라" (레위기 19:17-18)

예수님께서 이 땅에 오신 분명한 이유는 죄로 죽어가는 '나'를 살리기 위해서다. 나의 생명을 살려 더 밝은 미래를 보여주시고, 죽어가는 자들에게 똑같이 그리스도의 생명을 전하길 원하신다. 지금 이 시각에도 어두움 가운데 돌봄과 사랑이 필요한 어린 영혼들이 두루 돌아다닌다. 그들 하나하나를 다 품고 살 수는 없지만, 그들을 위해 불쌍히 여기는 마음으로 기도할 수 있다. 이제 우리에게 미래가 주어졌다. 우리의 미래는 멀리 있지 않았다. 지금도 내 곁에 아주 가까운 곳에 있다. 나에게 주어진 기회로 미래를 세울 수 있다. 더 밝은 미래를 꿈꾸어 본다.

유학곤 '인생2막컨설턴트'

◘ 학력

백석대학교 기독교경영행정학 박사과정 재학

백석대학교 기독교상담학과 석사 졸업

◘ 경력

現 민주평화통일자문회의 천안지역협의회 통일교육위원장

現 충남 야구협회 이사

前 국가공무원

前 기업은행

육군소위임관(26기)

지구 한 바퀴를 돌아 지중해에 빠지다.

목차

지구 한 바퀴를 돌아 지중해에 빠지다.

서론. 새로운 도전은 청춘의 꿈과 같은 것

"사람들은 누구나 왜 비싼 비용을 마다하지 않고 여행을 가는 것일까?" 아마도 일상에서의 탈출 같은 해방감과 함께 아직 가보지 않은 미지의 세계에 대한 기대와 동경심, 그리고 소중한 사람들과 편안한 휴식을 통한 추억 만들기가 정답이 아닐는지!!!

여행은 인생의 짧은 나그네의 여정에서 만나게 되는 사막의 오아시스 같은 것이요, 잡을 수 없는 무지개 일지라도 언제나 도전하고픈 용기와 힘이 되는 삶에서의 에너지 원천 같은 존재처럼 느껴지는 게 사실이다.

몇 년 전 호남의 어느 바닷가 관광지에 갔었던 적이 있었는데 '한국여행 100선'을 모아놓은 표지판이 있어, 그동안 다녀온 곳을 세어 보았더니 60여 군데나 되는 것을 알고 나서 그동안 제법 빨빨거리고 다녔다는 생각에 활동적인 자아의 존재감에 잠시나마 도취 되어보기도 하였다.

본격적인 '지구 한 바퀴 돌아 지중해에 빠지다' 여행담을 전하기에 앞서 그동안의 여행 노하우, 특히 자신이 이번에 처음 경험한 크루즈 여행의 노하우를 독자 여러분들과 함께 공유함으로써 보다 유익한 여행이 되었으면 하는 차원에서 이 글을 쓰게 되었으며, 특히 인생의 1막을 직장에서 평생 몸 바쳐 일하다가 자신처럼 은퇴

후 2막의 출발점에 들어선 독자들에게는 꼭 가족이나 친구, 친지들과 함께 반드시 한번은 경험해야 할 버킷리스트라는 사실을 알려주고 싶으며, 더 나아가서 또 다른 인생의 마무리를 위한 3막을 준비했으면 하는 소망을 품고, 일반 여행 서적에서 다루지 않는 내용을 중심으로 소개하고자 한다.

크루즈 여행을 어느 지역으로 할지가 결정되면 공항과 기항지 항구와의 거리나 주변 관광여건 등을 고려하여 비행기 표를 예매하는 것이 순서이다. 비행기 티켓은 땡처리 상품을 제외하고는 미리 예매할수록 저렴한 경우가 대부분이라서 미리 전문 구매사이트나 항공사 사이트에 들어가 예약을 하는 것이 좋으며, 우리는 이번 여행 시 가족 마일리지를 합하여 사용함으로써 별다른 비용을 들이지 않고 다녀오게 되었다.

다음으로는 여행지역에 연고가 없어 호텔을 예약하여 이용하게 되는 경우, 여행하기 전에 미리 호텔사이트에 들어가서 여행 일정에 맞게 지역별로 예약을 하는 것이 좋다.

호텔의 경우, 예약사이트도 많고 가격대도 다양한 만큼 예산 가용범위 안에서 알맞은 호텔을 선택하도록 하고, 특히 조식의 경우에는 호텔비용에 포함되는 경우도 많은 만큼 꼼꼼히 챙겨보는 게 중요하다.

또 하나의 팁은, 현지 공항에 도착하기 전에 반드시 그 나라에서 사용하는 콜택시나, 대중교통의 앱(예, 베트남 그랩 등)이 있는지를 확인하고 이를 핸드폰에 설치하는 것이 필수적인 사항으로, 이는 여행지역에서 바가지요금으로 인한 시시비비를 없애는 최선의 길이라는 점을 미리 알리고 싶다.

1. 색다른 경험, 크루즈 매력에 빠지다

먼저, 일반 여행과는 차별화된 크루즈 여행의 색다른 장점들을 경험을 토대로 나열해 보고자 한다.

첫째, 숙소 선택에 고민할 필요가 없다.

장기 해외여행일수록 좀 더 편안한 잠자리를 원하는 것은 심신의 피로감을 줄이고 쾌적한 숙면을 통해 에너지를 재충전하는 데 있는 만큼, 해외여행 시 숙박시설에 대해서는 좀 비싸더라도 과감하게 지갑을 여는 경우가 많은 것이 현실이다.

그래서 숙박시설을 선택할 때에는 여러 가지로 고민을 많이 하게 되나 크루즈는 이러한 고민을 걱정할 필요가 없는 게 예약 시 이미 본인들이 원하는 타입의 객실을 선택하기 때문에 이러한 고민에서 해방된다.

참고로, 크루즈 여행 경험이 많은 사람들에 의하면 비용면에서 요금이 저렴한 통로 쪽 객실(창문과 발코니 없음)을 선택하라고 조언하고 있는데, 이는 평소 잠자는 시간을 제외하고는 객실에서 시간을 보내는 경우가 적기 때문이라는 이유에서이다.

다만, 일과 후 저녁 시간에 가족들 또는 동행자들과 조용하고 오붓한 시간을 계속해서 갖기를 원하는 여행객의 경우에는 이용요금이 다소 비싸더라도 객실 외부에 테라스가 딸린 숙소를 선택하라고 권유한다.

나도 이번 지중해 크루즈 여행을 할 때 우리 부부와 손위처남이 함께 여행을 동행한 관계로 가장 넓은 객실을 선택하는 바람에 별다른 불편함 없이 여행을 즐길 수가 있었다. 참고로 디럭스급 객실은 바다전망이 보이는 넓은 외부 발코니가 있고 테이블 탁자와 의자 2개, 그리고 누워서 쉴 수 있는 긴 의자가 2개 준비되어 있다. 디럭스 룸의 경우에는 객실의 맨 아래쪽에 있으며 대개 뷔페식당 바로 위층에 자리하고 있어 다른 객실에 비해 각종 편의시설을 빠르고 편리하게 이용할 수 있다는 장점들이 있다.

둘째, 먹거리 고민으로부터 해방된다.

해외여행 시 숙박시설 선택과 더불어 고민스러운 것이 어떤 메뉴를 선택하여 미각을 만족시키느냐가 중요한 과제이고, 또한 가족끼리 먹거리 취향이 다를 경우 그 고민은 더 클 것이다. 모처럼 나온 해외여행이기에 매끼 새로운 입맛에 대한 호기심과 기대감은 여행자라면 누구나 꿈꾸는 것이지만 제대로 된 식당을 발견하기란 쉽지가 않고, 만약 찾았다 해도 식당과의 거리로 인한 이동수단의 문제, 메뉴선택에 따른 이해 부족 및 언어의 장벽 등 넘어야 할 산들이 많은 게 현실이다. 그러나 크루즈의 경우에는 메뉴에 대해서 걱정할 필요가 전혀 없다.

선내에서의 식사비용은 크루즈 비용에 당연히 포함되어 있고, 여러 가지 다양한 먹거리를 맛볼 수 있다는 게 가장 큰 장점이라고 말할 수 있겠다. 내가 경험한 지중해 크루즈 선박(이태리 회사소유)의 경우, 아침 06:30부터 22:00까지 무제한으로 제공되는 뷔페식당은 최고급은 아니었어도 중상위급 호텔 뷔페식당과 비교 시 전혀 손색이 없을 정도로 다양한 메뉴가 준비되어 있었다. 과일 코너, 샐러드 코너, 야채 코너, 피자와 여러 종류의 빵과 잼 종류, 스테이크와 소시지 등 육류코너, 생선 코너, 각종 푸딩과 케익 등 후식이 각 코너에 펼쳐져 있어 손님들의 입맛을 자극하기에 충분할 정도로 풍부하게 제공되고 있다.

뷔페식당 메뉴에 싫증을 느낀다면 전문 레스토랑에서 스테이크 요리 등을 주문해서 먹어도 무방하다. 우아하게 차려진 화려한 공간에서 바닷가 풍경을 감상하면서 좋은 사람들과 함께 어울려 먹는 호사스러움은 육지의 어느 일류 호텔보다도 좋은 분위기 속에서의 입맛과 풍경을 동시에 사로잡는 낭만을 마음껏 누리고 경험하게 될 것이다.

이 밖에도 유료로 이용할 수 있는 전문 일식 요리 식당 등도 먹을 수는 있으나 별도의 비용까지 내가면서 먹기에는 아깝다는 생각이 들고 낭비라고 여겨지는 까닭에 여기서는 적극적으로 권하지는 않겠다.

선상 식사 이용 시 주의할 사항은 제공되는 기본메뉴 이외에 음료수 등 마시는 종류는 별도로 주문해야 한다는 점이다. 추가 메뉴를 주문할 경우에는 웨이터를 불러서 선내 입실 시 제공된 개인카드(개인의 이름과 객실 번호 기록)를 제시하면 되고, 나중에 퇴실 전 일괄적으로 계산하는 방식으로 결제가 이루어지며, 선상에서 구매하는 모든 결제는 이 카드로 정산이 가능하다는 점이다.

셋째, 편리하게 다양한 육로관광 선택이 가능하다.

여행 중에는 정해진 일정대로 진행되는 경우도 있지만, 현지 일정과 여건상 불가피하게 변경되는 때도 많은데 이러한 경우에 대체 여행지에 대한 고민도 많은 게 현실이다.

크루즈 여행의 경우에는 선내에서 다음날 기항할 목적지에 대한 육로관광 일정이 상세하게 안내되고, 본인들의 의사에 따라서 취향에 맞는 일정을 자율적으로 선택만 하면 되기 때문에 편리하다. 물론 이 경우에도 별도의 비용이 청구되며 하선에서부터 육로관광,

돌아올 때까지의 전 일정이 가이드 인솔하에 이루어지는 관계로 신경 쓸 일들이 별로 없다는 장점이 있다.

다만, 단체관광이 아닌 기항지에서 간단한 개별 시내 투어 등 예약을 하지 않고 관광을 할 경우에는 반드시 선상으로의 복귀 시간을 철저하게 준수할 필요가 있다. 이는 기항지 관광객들이 선상으로의 복귀가 완료되면 크루즈 선박이 다음 이동 목적지로 바로 출발하기 때문이다.

넷째, 여행 시 휴대품 최소화로 짐으로부터 해방된다.

육로 여행의 경우, 한 장소에서 오래 머무는 경우가 많지 않기 때문에 새로운 여행지로 이동하는 경우가 많은데, 숙소에 체크인하기 전까지는 무거운 배낭이나 캐리어와 함께 여행해야만 하는 불편함이 있어 어렵기도 하고 난감한 경우를 당하는 경우가 많다.

크루즈의 경우에는 하선하기 전까지 선내 숙소에 짐을 두는 관계로 간편한 차림만으로 여행을 할 수 있기에 무거운 짐으로부터 자유로워진다는 점에서 또 다른 장점으로 꼽을 수 있다.

여기에서 한가지 경험담을 소개하자면, 크루즈에서 하선하여 무박 일정으로 프랑스 니스지역에서 기항지 자유투어를 하게 되었는데 캐리어를 보관할 장소가 마땅치 않아서 난감한 경우를 당해야만 했다. 다행히도 베트남 출신 식당 주인의 친절한 배려로 위기를 넘길 수 있었으나 막상 짐을 가진 상태로 여행을 한다는 게 정말로 어렵다는 것을 피부로 느꼈으며, 특히 유럽 여행지의 경우에는 소매치기나 짐을 도난당하는 경우가 많아서 짐을 보관할 마땅한 장소를 찾기란 정말로 쉽지가 않았다.

다섯째, 선내에서 다양한 종류의 면세점 이용이 가능하다.

해외여행 시 현지 기념품을 사는 경우가 많은데, 공항이나 대형 쇼핑몰 등을 제외하고는 대개 품목별로 기념품점이 분산되어 있어 쇼핑하기에 다소 불편함이 따르고, 또한 일부러 시간을 내야 한다는 단점이 있고, 모처럼 나온 해외여행에서의 많은 시간을 일부러 쇼핑에 투자한다는 것은 여러 가지로 아깝다는 생각이 드는 게 현실이다.

그러나 크루즈 여행의 경우에는 이러한 여러 가지 불편함을 말끔히 해소할 수 있는데, 매장은 저녁에 시작하여 늦은 시간까지 쇼핑이 가능하고, 기념품의 품목도 명품은 물론 일반상품에 이르기까지 다양한 종류들이 준비되어 있음은 물론, 특판 코너에서 명품 등의 세일 행사를 진행함으로써 여행객들의 구매 욕구를 자극하고 있다.

가격 면에서도 면세이기 때문에 다른 곳과 비교 시에 별다른 차이를 느끼지 못하였으며, 저녁마다 매일 열리는 특판 코너의 경우에는 품목도 다르고 저렴한 가격으로 물품들을 구매할 수가 있는 장점도 많았다.

크루즈 여객선, 길이 323m, 승무원 759명, 승객 2,066명

2. 크루즈 여행, 백배로 즐기는 꿀팁

다음으로 크루즈 여행을 백배로 즐기기 위한 사전 준비사항을 소개하고자 한다. 이는 모처럼 나온 여행에서 준비 소홀로 인한 후회를 최소화하자는 취지와 함께 세계인들과도 멋지고 즐겁게 어울리기 위함이다.

첫째, 크루즈 상품의 금맥을 찾아 공략하라

먼저, 크루즈 여행을 계획할 경우에 가장 먼저 미리 해야 할 것은 어떤 장소를 여행지로 선택할 것인지와 함께, 같은 조건이라면 보다 저렴한 가격으로 여행을 준비하는 것이 사람들이 느끼게 되는 당연한 생각이라는 점에 대해서는 논란의 여지가 없을 것이라 생각한다.

나는 아내가 5년 전에 가입한 크루즈 멤버십 포인트로 결제를 하고 지중해 크루즈 여행을 다녀오게 되었는데, 크루즈 멤버십에 가입하게 된 동기는 나의 퇴직 시점에 맞추어 부부가 함께 은퇴여행을 다녀와야겠다는 생각에서 시작하게 되었고, 현재는 나까지 추가로 가입하여 크루즈 멤버십 가족이 되었다.

참고로, 배우자가 선택한 크루즈 상품은 매달 $100를 적립식으로 내고 있으며 달러로 내야 하는 것은 미국에 플랫폼을 둔 회사이기 때문이며, 이 회사의 최대 장점으로는 매달 적립하는 돈을 100포인트로 계산하여 두 배인 200포인트를 적립시켜준다는 데 있으며, 또한 10개의 세계적으로 유명한 쿠루즈 선사와 직접 연결되어 있어 전 세계 주요 크루즈 노선의 예약이 가능하다는 장점과 함께, 크루즈 회사와 직거래를 통해 보다 저렴한 비용으로 여행지를 선택할 수 있다는 점이 가장 큰 이점이라고 볼 수 있겠다.

둘째, 저가 항공사 이용 시 수화물의 크기와 무게를 조심하라

비용을 절약한다는 측면에서 저가 항공사를 이용하는 경우가 많은데, 수화물의 크기와 무게에 조심할 필요가 있다. 이번 여행을 통해 자주 겪을 수 있는 사례를 경험담을 토대로 소개하자면, 저가 항공사의 경우 항공권을 구매할 때 휴대 물품 신고를 정확하게 해야 한다는 점이다.

대부분 저가 항공은 무료로 기내에 휴대할 수 있는 손가방 무게를 7kg으로 제한하고 있으며, 이를 현장에서 엄격하게 적용하고 있다는 사실에 주의할 필요가 있다. 따라서 여행 시 현지에서 구매한 기념품의 무게 등을 고려하여 항공권 구매 시 비용이 추가되더라도 좀 여유 있게 무게를 산정하여 부치는 짐을 1개 정도 포함하는 것이 바람직하다고 본다. 이점을 간과하고 크루즈 면세점과 육로 여행 시 방문하는 지역마다 기념품을 1개 이상 사다 보니 수화물의 무게를 초과했고, 결국 니스공항에서 비싼 추가 요금을 징수당하는 신세가 되고 기분까지 상하고 말았다.

여기서 중량을 최대한 줄이는 몇 가지 팁을 소개하면, 첫째 각 사람이 배낭을 메고 갈 것을 권유한다. 배낭은 대개 무게 검사에서 제외되는 경우가 대부분이고, 여기에다 무거운 짐을 분산시키는 것이 효과적이다. 둘째는 종이나 천으로 된 쇼핑백을 준비하는 것도 하나의 방법이다. 무게를 재는 기내 반입 손가방도 크기를 엄격하게 적용하는 곳이 많으며, 특히 프랑스 니스공항의 경우, 가방의 규격을 재는 도구가 있어 여기에 가방이 들어가지 않으면 추가 요금 또한 당연히 징수당하는 황당함을 경험하게 된다.

셋째, 크루즈에 승선할 기항지는 이동하기 가장 편리한 곳으로

두 번째로 중요한 요소는 선박의 탑승 장소를 어디에서 하느냐가 중요한 고려 요소라고 할 수 있다. 나의 경험을 소개로 하자면 지중해 크루즈 7박 8일의 첫 일정을 프랑스 영화제로 유명한 칸을 선택하였는데, 이는 미국 뉴욕에서 프랑스로 오는데 가장 쉬운 방법이 무조건 수도 파리로 와야 한다는 생각이 당연하다고 느껴졌는데, 이는 아마도 국제선은 지방 공항까지 오기가 쉽지 않겠다는 단순한 생각과 함께 기왕에 프랑스에 왔으면 개선문이 있는 샹제리제 거리와 에펠탑이 위치한 센강은 봐야 하지 않겠느냐는 생각에 일정을 그렇게 잡았는데, 막상 파리와 칸과의 거리는 비행기로 약 2시간이 소요되며, 칸에는 공항이 없어 근처 니스공항을 이용해야 한다는 점과 고속열차로는 약 6시간 이상이 걸리는 먼 거리였던 점을 간과해서, 결국 가는 편은 기차를 이용하고, 오는 편은 국내선 비행기를 이용하기로 하고 예매하게 되었다.

여행을 마친 지금 와서 생각해 보면 나름대로 기차에서 마주 앉게 된 프랑스 손님들과의 대화 속에 프랑스 여가문화나 생활에 대해서 나름대로 추억거리들도 많이 생겼지만, 장거리 기차여행으로 인한 피로감은 또 다른 고민거리들을 낳고 말았으며, 우리가 경험했던 지중해 크루즈의 경우에는 탑승지로는 이탈리아 로마에서 하는 것이 가장 좋겠다는 생각이 들었는데, 그 이유로는 항구와의 거리가 비교적 가깝고(약 1시간), 사전에 와서 로마 시내 관광을 여유 있게 하는 것도 좋겠다는 생각이 들었다.

넷째, 첫 번째 승선지는 최소 하루 전에 도착하라

기항지마다 에서의 크루즈 탑승은 한꺼번에 수백 명이 동시에 하선과 승선이 이루어지기 때문에 시간적 여유를 가지고 준비하는 것이 중요하다. 우리도 첫 기항지에 하루 전에 도착하여 인근 지역 여행을 하고 숙박하였으며, 오전에 수속을 마치고 크루즈 선내로 들어갔다. 크루즈 여행객들의 대부분은 첫 번째 경험인 경우가 많으므로 일찍 서둘러서 오전 시간에 수속을 마치고 선내로 들어가는 것이 중요하며, 선내에서 점심 식사를 마치고는 자신들의 숙소나 주요 시설들의 위치를 꼼꼼하게 살펴보는 것이 좋은데, 이는 선박에 머무르는 동안 헤매거나 당황하지 않고 자신들이 원하는 장소를 쉽게 접근하여 즐길 수가 있기 때문이다.

다섯째, 크루즈의 꽃은 사교춤과 멋진 공연장이다

크루즈 선박에서 가장 멋지고 화려하게 꾸며진 공간이 중앙무대고, 여기에서 매일 저녁 라이브 공연과 함께 관광객들의 세계적 춤 파티가 벌어진다. 따라서 여기에서 즐기려면 평소 시간적 여유가 있을 때 부부 사교댄스나 춤 배우기를 권장하고 싶다.

크루즈 안에서의 저녁 시간은 대부분 라이브 무대에서 세계인들과 어우러져 춤을 추는 무대가 많은 관계로 크루즈 여행을 즐기려면 사교춤을 배우는 것이 필수적인 요소라고 할 수 있다.

이번 여행 중반에 댄스 경연대회가 벌어진 적이 있었는데, 수많은 사람의 관심 속에 각 나라 대표로 선발된 남녀 1쌍씩 총 10팀이 출전하여 여러 장르의 춤곡에 맞추어 각자 실력을 발휘하였는데, 유독 내 눈길을 사로잡은 팀은 스페인 출신의 나이가 많이 들어 보이는 70대 중반의 부부였고, 이 두 사람의 실력이 너무나도 호흡도 잘 맞고 부드러운 춤사위 때문에 관객들의 시선을 사로잡았으며, 반응 또한 뜨거워 결과적으로 이들이 1등을 차지하는 영예를 안았는데, 이들의 모습을 보는 내내 부러움과 함께 동경심까지 불러일으키기에 충분했다.

크루즈의 꽃 라이브 중앙무대

여섯째, 저녁 시간은 세계인들의 화려한 의상 쇼가 펼쳐지는 곳

크루즈 여행은 평소 육로로 여행할 때보다 세심하고 꼼꼼히 준비할 필요가 있다. 우리 부부는 미국에서 약 한 달간 체류한 후에 크루즈 여행을 했기에 짐도 많았고, 특별한 의상 등을 세심하게 준비하지 못한 탓에 특히, 야간 시간에 다른 사람들의 시선을 따갑게 의식해야 하는 상황이 연출되기도 했다.

한가지 에피소드를 소개하자면 저녁 시간에 대부분은 4층 높이(선박마다 차이가 있음)의 주 무대에서 펼쳐지는 라이브공연 쇼에 참석하여 공연을 즐기거나 직접 춤 파티에 참여하게 되는데, 이때 다른 사람들은 매일 바뀌는 드레스코드에 맞춰 의상을 입는 반면, 언제나 변함없이 반 팔 티셔츠에 반바지 차림의 자신을 보면서 어딘지 모르게 준비가 부족한 이방인처럼 느껴졌다.

참고로, 여성의 경우에는 선내에 드레스 매장이 별도로 있기는 하나 고가의 명품인 경우가 많아서 평소 여행하기 전에 미리 준비하는 게 좋겠다는 생각도 들었다.

여행을 다녀온 후, 우연히 우리가 가입한 크루즈 사이트에서 중년 여성분들이 여행 시 단체로 한복을 멋지게 차려입고 촬영한 장면을 보게 되었는데, 참신하기도 하고 한복에 대한 우수성을 세계 여행객들에게 알릴 수 있는 좋은 계기도 되는 것 같아서 이러한 생각을 가지고 준비를 했다는 점에서 찬사를 보내지 않을 수 없을 만큼 좋은 아이디어라고 느껴졌다.

3. 종합 선물세트 같은 크루즈 여행

크루즈 여행의 선상생활을 한마디로 정의한다면 바다에 떠다니는 리조트라고 말할 수 있다. 내가 경험한 7박 8일간의 지중해 여행을 지면에 다 기록할 수 없고 다 설명할 수도 없겠지만 먼저, 주간에는 육지관광을 경험하며 태어나서 처음 밟아보는 땅과 자연, 그리고 각종 서양의 세련된 문화유산들과 현지인들의 삶의 현장을 생생하게 마음껏 보고 느끼고 즐길 수가 있었으며, 저녁 시간에 선상으로 돌아와서는 식사 후에 크루즈에서만 즐길 수 있는 다양한 이벤트들이 잠자기가 아까울 정도로 다양하게 펼쳐진다는 사실이다.

프랑스 칸에서의 첫날 저녁에는 선상 후면에 위치한 디스코 카페에서 DJ에게 '강남스타일' 선곡을 신청했더니 곧바로 음악이 흘러나오는 장면이 연출되고, 자신을 한국에서 온 '싸이 형님'(외모와 체격이 비슷) 이라고 소개하면서 음악에 맞추어 한바탕 어색한 말춤을 추기 시작하자, 주변에 있는 관광객들도 함께 어우러져 한국문화의 우수성을 또다시 세계로 전파하여 문화통일을 이루는 멋진 장면을 연출하는 추억도 남기게 되었다.

멋진 무대를 마무리한 뒤에는 자리를 옮겨 또 다른 라이브 카페에서 조용하게 음악도 감상해보고, 화려한 유혹을 즐기려면 카지노를 비롯한 각종 오락 시설과 군데군데 늘어선 면세점의 세계에 빠져 눈을 호강시켜보는 것도 좋고, 혼자만의 시간을 보내고 싶다면 배의 뒤쪽으로 가서 지중해의 검푸른 바다를 힘차게 펼치고 나가는 스크루의 강한 흔적과 함께, 새하얗게 변해가는 파도와 물거품의 흔적을 하염없이 바라보기도 하고, 밤하늘에 빛나는 달과 우주에서 보석처럼 빛나는 별들의 향연들, 그리고 검은 창공을 가로지르며 반짝이는 비행기 존재의 흔적들 속에서 지나왔던 과거 인생길을 되돌아도 보고 어딘지 모를 미래의 목적지를 향한 제 2인생 여정의 길을 잠시나마 설계해 보는 것도 좋을 것이다.

늦은 시간까지 잠이 오지 않는다면, 경쾌한 음악 소리를 따라 선상 꼭대기에서 벌어지는 세계 젊은이들의 디스코 열기 속으로 함께 파고들어 나이를 잊은 채 분위기를 한껏 느껴보는 것도 새로운 경험이 될 것이다.

계속되는 관광으로 인한 피로감이 몰려온다면 야외 풀장에서 따뜻한 온수욕과 함께 시원한 물속에서 수영을 즐기면 되고, 젊은이다운 기개와 열정을 보여 주고 싶다면 워터슬라이드에 몸을 맡긴 채 어린아이들과 친구가 되어보는 것도 또 다른 추억거리로 남을 것이다.

마지막으로 크루즈 즐기기에서 비용 절감을 위한 꿀팁을 몇 가지 더 소개해 본다면,

첫째, 선내에서는 세탁서비스가 비싸므로 육로 여행 시 세탁세제

를 구입하여 샤워할 때 빨아서 바닷바람이 잘 통하는 발코니에 걸어두면 쉽게 마른다.

둘째, 식당에서 제공하는 음식과 물 이외에는 모두 비용을 지불해야 하기에 역시 육로 여행 시 생수 등 음료수, 과일, 간식 등은 승선 시 미리미리 사서 가지고 들어오면 좋다.

셋째, 선내에서 음료수나 칵테일 등을 주문 시에는 모두 개별 계산되나, 하루에 개인당 일정 금액(약 40유로?)을 추가로 내게 되면 무제한 서비스 제공도 가능하니 참고하면 좋을 것 같다.

결론. 글을 마무리하며

34년간 틀에 박힌 공직 생활을 마감하고, 60이 가까운 나이에 처음으로 경험한 7박 8일간 프랑스, 이태리, 스페인을 둘러보는 지중해 크루즈 여행은 내게 또 다른 미지의 세상에 대해 눈뜨게 하는 잊지 못할 최고의 멋지고 낭만적인 추억이 되었다.

남편의 퇴직 시점에 맞추어 크루즈 여행이라는 선물을 미리 준비하고 통 크게 선물로 안겨준 아내에게 이 지면을 통해 감사의 인사를 전한다.

크루즈 선상에서 본 지중해의 일몰

지중해를 가르며 한없이 푸르른 코발트 빛 파고로 넘실대는 수평선-새하얀 뭉게구름 속에 맑고 청명한 파란 하늘의 지평선- 그 끝자락에 나 자신을 투영시켜 보았다. 위대한 창조주의 걸작품인 자연 속에, 나 자신의 초라함과 작아짐, 그리고 헝클어지고 비뚤어진 일상들이 지나갔고 그동안 세상에서 오염된 자신의 몸과 마음을 깨끗하게 씻겨주기라도 하는 듯 살결을 스치는 오염되지 않은 미풍의 부드러운 속삭임은 상쾌함과 함께 청량감으로 더해져 폐부 속 가슴속 깊이까지 파고들었고, 선상에서 바라보는 주홍빛 일몰의 눈부신 파고와 빛 그림자의 실선들은 늦은 저녁 농사일을 마무리하고 감사 기도하는 밀레의 '만종' 그림보다 도 더한 감동으로 다가와 솟구치는 충동을 억제할 수 없었다.

이제 인생의 1막을 넘어 제2막의 출발선에 선 지금, 이번 여행에서의 경험과 다짐을 토대로 또 다른 여정을 시작하고자 한다. 이제부터는 이름 없이, 그리고 내세움 없이 가장 소중한 사람들로부터 이웃에 이르기까지 나누며 섬기며 봉사하는 데 시간을 보내는 2막의 삶을 살아보겠노라고 다짐한다.

아무리 좋은 꿈결 같은 낭만의 여행도 끝이 있고, 다시 평범한 일상의 여정으로 이어 지지만 하늘에 소망을 두고 영원한 행복에로의 초대의 좁은 길로 안내되는 그 진리의 여정을 찾아서, 오늘도 나를 위해 언제라도 동행해 주실 한 분을 의지하고 만나기 위해 잠시 세상의 삶을 뒤로한 채 이 아름다운 자연 질서를 만드신 창조주의 섭리를 깨닫고 느끼며 사는 기쁨의 삶을 살기 위해 한 단계씩 성숙의 과정으로 나아가기를 또한 결심해 본다.

이 글을 읽는 독자들에게도 전하고 싶은 것은, 여행을 통해 새로운 것을 경험하고 좋은 추억을 만들고 행복을 경험하는 것도 좋은 일이고 보람된 일이지만 결과적으로 모든 것은 다시 원점으로 돌아오며 여행을 통한 만족 또한 잠시뿐이고 결과적으로 그 어떤 것도 인간의 마음을 완벽하게 채울 수 없다는 한계가 있다는 것이다.

사람들은 누구나 인생을 살아가면서 가장 귀하게 여기고 소망하는 게 있다면 그것은 영원히 죽지 않고 사는 행복한 삶이라고 말할 것이다.

드넓은 땅 중국을 통일한 진나라 시황제도 늙지 않는다는 불로초를 구하기 위해 수많은 사람을 전 세계로 내보냈지만 결국 50세라는 짧은 나이에 역사 속으로 사라졌으며, 세상의 왕으로 가장 큰 영화를 누렸던 솔로몬 왕의 인생도 들에 핀 한 송이 백합화 꽃만도 못하다고 비교했는데, 그분이 만드신 세상에서 우리가 잠시 여행하다가 그분이 사는 영원한 본향으로 우리는 언젠가는 돌아가야 한다는 사실을 믿고 바라며 준비해야 한다는 사실을 말하면서 이 글을 마무리하고자 한다.

“영생은 곧 유일하신 참 하나님과 그의 보내신 자 예수 그리스도를 아는 것이니이다”(요 17:3).

강성구 '기독교행복경영전문가'

◘ 학력

백석대학교대학원 기독교전문행정학과 석사 재학

한울림신학 신학대학원 M.Div 목회학 석사 졸업

국제사이버대학교 사회복지학과 졸업

국제전문대학교 아동보육학과 졸업

◘ 경력

現 늘평안교회 담임목사 / 現 예장백석교단 목사

前 참빛교회 부목사

◘ 봉사단체

송탄노인주간복지센터 / 혜인요양원

◘ 이메일 / 홈페이지

E-mail: z91@hanmail.net

늘평안교회: https://cafe.daum.net/alway1004

나사랑자살방지평택지부: https://cafe.daum.net/laughter2

행복을 위한 한 걸음!

목차

행복을 위한 한 걸음!

서론. 진정한 자유를 찾은 산골 소년의 기쁨

예수님을 영접하고 너무 행복하여 밤낮을 가리지 않고 신앙생활에 몰두하다가 생전의 어머님 말씀에 “ 다른 직업은 다 좋지만, 목사는 하지 말라.”는 부탁을 거절하고 목사가 되었다. 지금은 작은 개척교회를 섬기며 성경의 등장인물 선지, 성현들의 발자취를 따라 주님의 말씀이라면 묵묵히 순종하며 십자가의 삶을 답습하려 노력하고 있다. 실천 신앙으로 그리스도의 지체를 이루기 위해 세상의 유혹에 넘어가지 않고 발버둥 치며 신앙의 절개를 지키고 있다. 저자는 지극히 작은 자로 세상에 빛과 소금의 사명을 감당하려 자기 몸을 불사르는 초가 되고, 맛을 내기 위해 자신을 녹이는 소금처럼 묵묵히 그리스도 지체의 삶을 조심스럽게 나누려 한다.

1. 좋은 것은 알겠는데 손발이 움직이지 않고

목회자라면 복음 전하는 사역과 작은 일부터 실천하는 행함의 실천가라 할 수 있을 것이다. 또한 "행하지 않는 믿음은 죽은 믿음이라" (약2:17) 말씀을 모르는 사역자가 없을 것이다.

고교 시절 친구로부터 교회 생활을 권유받고 예수님을 영접하게 되었다. 신앙생활은 가부장적인 가정환경에서 자유를 맛보는 탈출구였고, 도피처이었고, 기쁨과 행복을 주는 곳이었다. 책가방 속에는 성경이 들어있었고 수업 시간 외에 쉬는 시간에는 성경 읽는 즐거움과 행복에 빠져 사춘기 고교생활은 유혹에 넘어가지 않고 신앙에 몰입하는 특별한 유형의 학생이었다. 1980년대 교회의 학생예배는 대학에 진학한 선배들의 인도하는 Gospel Song과 Worship으로 기쁨과 행복을 주었다. 이때부터 저자의 미래 인생은 목회자로 방향이 뿌리 깊게 자리 잡았던 것 같다.

고교졸업 후 바로 직업군인으로 자원입대했고 병영생활에서 수요일과 일요일은 외출, 외박보다 종교 생활이 더욱 행복했다. 학창 시절 익혔던 신앙생활을 마음껏 펼쳤고 군 생활의 어려운 관문도 잘 극복했다. 군 생활 기도 중에 새로운 진로에 가기 위해 전역을 결심했다. 그 길은 경제생활로 어려운 교회와 지인들을 돕는 자가 될 것을 하나님께 약속했기 때문이다. 아낌없이 주는 나무가 되려고 마음먹었다.

하지만 현실과 계획은 달라서 결혼 후 직장생활은 힘들고 경제활동은 쉽지 않았다. IMF 위기 때 가전제품 A/S기사로 수입이 좋았지만, 너무 일에 몰두해서 비뇨기과의 질병을 얻어 육체는 더욱 고되기만 했다. 2000년 교회 하계 연합수련회 때 깊은 기도 중 성령의 감동이 와서 또 한 번 인생 계획을 바꾸게 되었다. 물질로 어려운 사람들을 베풀기 보다는 영적으로 돕는 자가 되기 위해 직장생활에서 교회 봉사 일에 전념하기로 아내와 논의 끝에 신앙생활을 할거라면 몰입하자는 결론을 내리고 교회 옆으로 이사를 했다.

정말 열심히 충성, 봉사했다. 교회 건물 지하부터 종탑까지 몸이 지칠 정도로 뛰어다녔고, 화장실 청소부터 사무실 행정 일까지 도와가며 지치도록 봉사하다 보니 교회 당회에서 급여도 책정되고 전도사 직분까지 받는 기쁨을 누렸다.

'하나님의 말씀이라면 실천하자! 행하지 않는 믿음은 죽은 믿음이다.'라고 주장하면서 또 한 번의 아내와 의논하며 하나님 말씀 실천하기로 결심한다. 신혼부터 아파트 청약으로 당첨된 수원 조원동 아파트, 입주 두 달을 남긴 시점에 출석하는 교회가 신축으로 대출한 금리가 오르면서 원금과 이자를 감당하기 어렵다는 것을 알고, 아파트를 매각하여 하나님께 드리기로 했다. "협력하여 선을 이루라"는 말씀(롬8:28, 고전12:12)도 병행하여 실천했다.

"그리스도의 지체된 자로 교회 재정에 협력하는 것이 성도이며 지체된 의무"라고 아내와 충분한 의논과 기도로 결심했다. 2002년 신혼 시절, 1억에 가까운 금액을 미래를 준비하는 종잣돈임에도 하나님께 드리기로 했다. 그리고 성경 인물 중 속이는 자 '아나니아와 삽비라' 같은 인물이 될까 봐 기도하며 기꺼이 아파트를 매각하여 헌금했다. 믿음의 실천이라 생각한다. 지금 생각하면 허락해 준 아내에게 다시 한번 고맙고, 감사한 마음이다. 주님의 말씀에 "네 이웃을 내 몸과 같이 사랑하라" 하셨으니! 내가 먼저 실천하지 않으면 누가 하겠습니까? '이곳 교회에서 뼈를 묻겠다.' 굳은 각오로 '나는 주님 가신 그 십자가의 길을 가리라!' 외치며 신앙과 면학으로 5곳의 신학교 면학의 길에서 목사 직분까지 받게 되었다.

그리고 또 한 번 삶의 결단을 내렸다. "교회를 개척하여 복음을 전하는 사역을 경험해 보아라."는 선배 목사님들의 조언에 따라 경기도 평택시 서정동에 교회를 개척하게 되었다. 돕는 사람 없이 부부가 하나님만 바라보며 교회를 개척한 세월이 14년이 지난 지금 여전히 미자립 교회로 있지만, 십자가 복음을 외치며 오늘도 맡은 바 복음 전하는 사역에 충성하고 있다.

소제목에서 "그리스도의 지체로 실천하는 목회자"라고 했다. 세상에서는 나이 60이 되면 노후를 준비하고 경제를 규모 있게 사용하고 투자하고 미래를 준비해야 하지만 저자는 세상 사람들의 생각과 반대의 삶을 살고 있다.

노후를 위해 물질을 준비하기보다는 주께서 쓰시기에 합당한 그릇을 만드는 배움의 길에 도전하며 시간과 물질을 학업에 투자하고 있기 때문이다. 그래서 세상에서는 실패한 자라 할 수 있겠다.

목회의 길에서 갈등하고 있는 분들이 있다면 이렇게 말하고 싶다. 뒤를 물러가 침륜(沈淪)에 빠지지 말고 살아계신 하나님을 믿고 예수님께 미치길 원한다. 주님만 바라보길 소망한다(히12:2).
이 길이 생명의 길이요 맡은 자의 소명이라고 기쁨의 미소 지으며 주장한다.

목회의 일은 육신의 영달이나 사회의 존경을 한 몸에 받는 자리가 아니라는 것을 말하고 싶다. 하나님께서 이루라고 하시는 하나님 나라 이룸은 주님의 돌아가심의 십자가가 내 십자가 되고 주님의 부활이 내 부활이 되어 날마다 재창조되는 그리스도의 지체로 기쁨과 행복, 사랑의 나라이다.

섬기는 교회 성도들께 암송을 권장하는 말씀이 있다. 벧전 3:8-11이다. "생명을 사랑하고 좋은 날 보기 원하는 자는 혀를 금하여 악한 말을 그치고 그 입술로 거짓 하지 말고 악에서 떠나 선을 행하고 화평을 구하며 그것을 따르라" (10-11)

9절에 " 악을 악으로, 욕을 욕으로 갚지 말고 도리어 복을 빌라 이를 위하여 너희가 부르심을 받았으니 이는 복을 이어받게 하려 하심이라" 아멘! 이 시대에 우리가 지켜야 할 마지막 말씀이라고 생각한다.

오늘도 부활하신 예수님처럼 그리스도의 지체를 이루려 기도하는 가운데 말씀을 실천하려 노력하고 있다.

2. 황소고집! 변화되는 방법이 있을까요?

농경문화에 새벽부터 밤늦게까지 논과 밭으로 부지런히 움직여야 하는 가정에서 5남 2녀 중 3남으로 태어났다. 전통적인 유교 가정에서 유소년기를 보냈다.

학창 시절 등하교 습관이 남달랐다. 등교 순위가 전교 다섯 손가락 안에 들을 정도 빨랐고 조금이라도 늦는다 싶으면 마음이 조급해서 견딜 수 없는 성격을 가졌기에 등하교는 항상 빨랐다. 방과 후에는 집안일을 잘 도와 드렸다. 동구 밖 가장 먼 곳에 논과 밭이 있어서 나름 힘들었다(이런 때는 한 번 한다고 맘먹으면 해야 하는 고집이 좋은 면도 있다.).

유소년 시절 어머님께서 시골 오일장에서 여름 티 하나를 사주셨다. 하지만 맘에 들지 않았다. 사주신 “새 옷 입고 학교 가라”는 말씀이 있었기에 새 옷은 입었지만, 그날 학교에 가지 않았다. 학교 가는 논둑에서 혼자 시간을 보내고 있다가 집에 온 기억이 난다.

또 한 번은 여름 소나기가 내리고 냇가에 많은 시냇물이 흐를 때 고기잡이 놀이하는 친구들과 어울렸지만 물 밖에만 있었고 개울에 들어가지는 않았다. 물이 무서워서가 아니라 옷이 젖을 것 같아서 들어가지 않았다. 친구들이 다슬기를 같이 잡자는 요청에도 고집대로 물에 절대 들어가지 않았다. 특이한 고집이라 생각한다.

선생님 말씀에 순종하는 좋은 고집도 있었다. 한참 뛰놀고 혈기 왕성한 초등학교 쉬는 시간에 선생님께선 늘 조용히 할 것을 외치셨다. 선생님 말씀에 순종하기로 다짐했기에 쉬는 시간에는 화장실 갔다 와서 오로지 책상을 지키는 모범생이었다. 선생님 말씀이라면 순종으로 지참물은 미리, 미리 준비해서 빠짐없이 지참했었다.

학교 등하교에 동생들을 살피고 동행할 줄 모르는 나만 아는 고집쟁이였다. 지금 생각해도 참 너무 했다고 생각한다(“사랑하는 동생들 미안했어요. 용서해 주세요.” 못난 오빠를 용서해 주길 바란다.).

고등학교 시절 인생에 큰 반전이 있었다. 도심 교회에서 산골인 고향 인근 냇가로 하기 수련회에 왔을 때 일이다. 수련회에 동참하면서 (말씀과 기도, 찬양 등) 자연스럽게 성격이 차츰 변화되어 가고 있었다. 예수님께서 나의 죄를 위해 돌아가시고 부활하셔서 나의 고집과 죄를 용서하시고 시골 냇가에 앉아 있는 나의 마음에 따스함으로 함께 하심을 느꼈고, 전에 느껴 보지 못한 큰 기쁨과 감사가 넘쳤고, 회개의 눈물과 감사의 눈물이 겹쳐서 마음껏 찬양과 함께 울었다. 그리고 '예수님처럼 살아야겠다.' 그리스도의 삶을 살아야겠다는 마음이 동화되기 시작했다. 그러면서 가지고 있던 고집이 서서히 변화되기 시작했다. 이를 보고 어머님은 동네에 소문내고 다니셨다. "우리 막내아들이 바뀌었어요." 하시며 기뻐하셨다. 모난 성품을 온유한 마음으로 바꾸어 주신 주님의 사랑에 감사가 저절로 났다. 여름 수련회 동안 냇가에서 눈물의 회개 기도로 말미암아 가지고 있던 고집이 시냇물 흐르듯 서서히 녹으며 고집의 마음은 변화되고 있음을 느꼈다. 예수님께서 제 고집의 마음을 빼내어 주셨다. 부활의 예수님이 살아 계심을 체험하는 소중한 기회였다. 할렐루야! 성경대로 하나님 형상을 따라 재창조되어 가는 그리스도의 마음이 기쁘고 감사할 따름이다. 오! 주님 감사합니다.

3. 앞으로 가라고 사정해도 옆으로 가는 꽃게!

대한민국 성씨 중에 고집이 센 성씨 순위를 정하면 어떻게 될까? 전적인 내 경험으로 '손, 이, 윤, 안, 강, 최'라고 정해 보았다. 손 씨는 저희 어머님 성씨다. 요양시설에 7년간 생활하셨고 봇짐 들고 "아들 집에 간다." 고집을 부리시다가 소천하신 분이다. 이 씨는 장모님 성씨다. 치매 질병으로 현재 동거하고 있다. 한번 고집을 내세우면 좀처럼 거부할 수 없는 완고함이 있다. 윤 씨는 아내 성씨다. 아내를 이기는 남편은 없다고 생각한다. 안, 강, 최 성씨는 많은 이들이 인정하는 순위라서 제 경험으로 고집이 센 성씨 순위를 정해 봤다.

이 글을 읽는 독자는 어떻게 생각할까? 웃음도 나겠지만 최고 고집이 센 사람은 바로 하나님 앞에선 우리 인생 모두다. 하나님 앞에서는 모든 인생이 죄인이며 고집쟁이다. 하나님은 선지자들을 통해서 회개하여 천국에 이르라 하셨고, 아들 예수를 십자가에 내놓으시기까지 인생을 향한 사랑을 주셨건만 대부분 인생은 생명의 근원 되시는 하나님을 섬기지 않고 여전히 내 맘대로 사는 인생이라 생각한다. 따라서 내면을 보시는 하나님 앞에서는 모두가 고집 센 인생이라 생각한다.

세례요한이 와서 "회개하라! 천국이 가까웠느니라" 외쳤지만 회개한 사람이 얼마나 될까요? 지금도 그 음성은 계속해서 울리고 있지만 여전히 육신의 정욕, 안목의 정욕, 이생의 자랑을 위해 뛰어다니며, 땀 흘리며, 부를 축적하고 미워하며, 시기하며, 질투하며, 원망하는 마음들이 내면 이곳, 저곳에서 요동을 친다. 산업화가 급속하게 발전하면서 생활은 편리해졌고 지구촌이라 할 만큼 아침이면 세계 모든 정보를 알 수 있는 정보화시대에 마음은 여전히 변하지 않고 고집스럽게 죄인의 길로 가고 있는 악한 내면을 본다.

하나님께서 제일 싫어하는 죄는 바로 자기 뜻대로 사는 인생이다(계17:17). 모두가 하나님 앞에서 죄인이면서 회개하지 않고 아주 고집스럽게 내 생각, 내 고집대로 살아간다. 자연의 피조물들을 통해 창조의 하나님을 알 수 있도록 했건만, 자유를 가지고 선(善)보다 악(惡)을 선택하여 육신의 필요와 정욕을 채우고 즐기며 사망으로 돌아가는 모습을 본다(롬6:23).

사랑의 하나님께선 다시 인류를 위해 아들 예수를 십자가에 내놓으시고 십자가를 통해서 인류의 죄를 용서해 주셨고 용서받는 방법을 알려주셨다. 십자가에서 죽음을 이기시고 부활하신 분이 예수 그리스도이시다. 구원자 예수 그리스도를 믿고 예수님의 이름으로 기도해야 죄 사함을 받는다. 오직 예수 그리스도만이 천국에 갈 수 있다. 이제는 내 고집을 내려놓자. 하나님 말씀에 순종하여 그리스도 지체를 이루자. 사람이 변화되는 시간이 많지 않다. 내 고집 내려놓고 생명의 근원 되시는 하나님을 나의 아버지로 믿고 구원자 예수님을 진심으로 믿고 하나님 말씀에 순종하면 행복이 온다고 주장해 본다.

4. 봉사활동! 좋은 건 알지만, 망설이는 당신에게!

복음을 전하는 자로 "주님의 말씀이라면 무엇이든 내 하오리!"의 찬양하면서 가사대로 순종하지 못할 때는 현실과 타협하며 육신의 안일함 속에 "주님은 내 일상을 다 아셔!"(없는 것, 바쁜 것, 약한 것, 힘든 것) 하면서 정당성을 내세운다. 또한 "마음은 원이로되 육신이 약하도다."라고 핑계 대고 있는 무능함과 게으름을 본다.

2023년 9월 9일(토) 오후 1시부터 5시까지 올림픽 체조경기장에 백석총회 설립 45주년 행사에 안내요원으로 봉사 실천했다. 9,700 교회 3만여 성도들이 모였다. 설립자 장종현 목사님의 하나님 말씀 선포, 각계에서 초청되어 오신 분들의 축사, 기도, 찬양, 7천 명 찬양대원들의 할렐루야 합창, 참석자들의 함성들, 민족과 세계 향한 비전 선포와 함께 행사는 안전하게 마쳤다. 그 성대한 행사에 나의 작은 안내 봉사가 있었다.
"행복합니다. 기쁩니다. 주님께 영광을 돌립니다!"

행사 일주일 전 카톡으로 백석총회 설립 45주년 기념행사에 자원봉사자를 모집한다는 단톡 안내가 왔다. 선뜻 신청했다. 하지만 문제는 행사 전날 사전교육을 받아야 하는 것까지 2일을 현장에 나가는 것이었다. 마음의 갈등이 왔다. "갈까, 말까, 이틀씩이나! 새벽부터 행사 마지막 마무리까지? 누가 알아주지 않는 봉사" 현실은 대중교통으로 편도 2시간 30분 걸리고, 동거하는 장모님은 치매 증상이 날로 심해지고, 토요 학과 수업도 있고, 과제물 준비도, 선행논문 연구, 자료검색, 주일 말씀 준비, 매일 기도회 인도, 교회 청소, 방 청소, 설거지 돕기, 시장보기, 전도 활동, 전화 심방, 교회 건물 공사 협조, 현실이지만 핑계다.

이때 마음속 성령의 울림은 "행하지 않는 믿음은 죽은 믿음"이라는 성경 구절이 떠 올라서 "그래, 결심했어! 하늘이 무너져도 안내봉사한다. 실천해 보자! 나는 가리라! 주의 길을" 하면서 참여하기로 마음먹고 선뜻 신청했다.

안내는 쉽지 않았다. 행사 당일 성가대원 7천 명이 몰려오면서 각 부분으로 좌석 안내, 악보, 안내 책자, 다양한 분들의 물음에 안내하고, 모르면 진행요원 찾아가 묻고, 외국 선교사, 기수단 등을 안내했습니다. 중식은 간단히 행사장 뒤쪽에서 나눈 빵과 물로 해결했다. 행사는 본격적으로 오후 1시에 시작되었다. 좌석 안내는 지방에서 뒤늦게 오시는 분들을 계속해서 위쪽으로, 위쪽으로! 안내했다. 행사장에 들어오시는 분들은 인산인해를 이루었다. 무대를 바라보는 좌석이 부족해 본부석 뒤로 안내했다. 행사 중반에는 앉을 의자가 없어서 서 있어야 하는 분들도 많았다. 안내 중 지인 목사님들도 보이고, 지인 성도님들도 눈도장 찍으며 안내했다. 갈증도 나고 피곤도 몰려왔다.

지방에서 새벽부터 오셨다는 성도님들, 연로하신 권사님, 장로님, 초등부 학생들, 유치원생, 행사 참여해 주시는 한분 한분이 감사했다. 검정 봉투 안에 김밥 한 줄, 물 한 병들고 앉을 곳을 찾았다. 지정석이 없어, 빈자리에 앉으면 되는데 안내자의 지시에 따라 중간 빈자리 이동을 위해 잠시 자리 이동 양보를 요청해 보았지만 한번 앉은 자리에서 이동하지 않으려는 고집도 보인다. 어느덧 행사는 안전하게 종료되었다. 무엇보다 큰 행사를 안전하게 마친 기쁨과 참여의 보람, 감사와 기쁨이 마음 깊이 올라왔다.

내 작은 몸이 협력하여 성대한 행사를 안전하게 잘 마쳤다는 보람에 저절로 하나님께 감사가 나왔다. 소속된 총회 사랑도 몰려왔다. 자긍심도 생겼다. 바꿀 수 없는 기쁨이며 보람이였다. 귀가 중 지하철과 버스 안에서 감격은 행복으로 왔고 잘했다는 자부심도 일어났다. 피곤한 몸이지만 다음날 주일예배는 힘있게 전파되었고 찬양은 더 크게 나왔다. 물론 오후엔 몸살로 누웠다.

이번 자원봉사 실천으로 마음을 시험해 보는 소중한 기회였다. 개인의 안일함과 유익을 챙기는 세상의 마음을 이겼노라고 자부한다. 그리스도의 지체로 한 걸음 다가가는 소중한 실천이었다.

5. 이런 증상이 있으면 보건소에서 검사해 보세요.

목회자라는 이유로 장모님(98세/치매 5등급)을 모신지 5년째다. 장모님을 모시며 겪는 마음의 갈등 속에서 참된 그리스도로 성화의 과정을 이루어 가고 있다.

가을 들어 치매 증상이 더욱 심해지고 모든 생활 시스템이 장모님 중심으로 바뀌어 아내와 함께 서로 위로하며 보호하고 있다. 요양보호사 교육받을 때는 치매 환자 관리를 잘할 줄 알았지만 실상 동거하면서 경험하는 치매 환자의 변화무쌍한 행동에 많은 도전을 받고 있다.

다음은 장모님 치매 질병 증상들이다(치매 질병은 어디로 튈지 모르는 럭비공 같다.).

첫째 "배회" 증상이다. 행방불명의 예방을 위해 파출소에 지문등록도 해 놓았다. 가끔 소리 없이 문을 열고 나가 앞만 보고 빠른 걸음으로 걷는 모습을 보면 마음이 아프다. 외출 방지를 위해 문 안쪽 높은 곳에 간이 잠금장치를 했다. 장모님은 꾀를 내어 지팡이를 이용 잠금장치를 풀고 나갈 때도 있었다. 만약 외출을 막으면 화를 내면서 고집을 부리신다. 특히 야간에는 배회 증상이 심했다.

두 번째 "공격성" 증상이다. 잔존 감정이 있어 싫어하는 말을 들으시면 눈을 감거나 식사 때도 입을 열지 않고, 물도 삼키지 않고 머금고 있다. 요구사항을 들어 주지 않으면 주먹질하신다. 욕설까지 하신다. 주먹을 막으면 입으로 물려고 하는 공격력을 보인다.

세 번째 "거부" 증상이다. 식사 때 조금만 뜨거우면 뱉고, 식사 대용으로 유동식 음료를 컵에 담아 드리면 컵도 던져버린다. 야속한 마음이 올라오면 기도하며 마음을 정리한다. 쉽지 않다.

네 번째 "자세가 일정치 않다." 소파에 앉아서도 좌우로 거대거나 불안한 자세로 기대어 자주 바닥에 떨어지는 등의 일들이 자주 일어난다.

다섯 번째 "배변 활동이 원활하지 않다." 배변 체크를 하여 5일에 한 번 항문 관장을 한다. 그렇지 않으면 돌발상황이 발생한다. 손가락으로 항문을 파는 일도 있으며, 반대로 양치하다가 변이 나오는 일도 있다. 문제는 악취로 인한 세탁물이 많이 나오고 청소를 자주 해야 한다.

여섯 번째 "기복이 심한 감정"이다. 짜증을 자주 내시고 우울한 인상을 쓸 때면 같이 기도하는 방법을 실천한다. 하지만 욕설로 보호자 마음이 상할 때가 많다.

일곱 번째 "의심과 망상"이다. 야간에 사물함을 수시로 정리하면서 원하는 물건을 없다는 소동이 일어나고 돈을 어디에 놓았는지 몰라서 도둑이 들었다고 호소하며 억지를 부린다. "내 집이 아니라며" 내 집으로 가자고 재촉하신다. 아무리 설명해도 쉽게 인정하지 않고 역정을 내신다. 망상의 증상이 심하다.

주변 지인들이나, 자매님들은 이구동성 쉽게 말한다. 요양시설 이용할 것을, 하지만 우리 부부는 목회자로 장모님을 모시며 하나님 말씀을 실천하고 있다. 장모님을 보면서 마음에 모난 부분을 발견하고 악한 마음들을 회개하며 거룩함에 이르는 성화의 길을 걷고 있다. 덕분에 기도 시간이 많아지는 삶을 오늘도 이어가고 있다. 사랑과 인내의 열매로 그리스도의 지체를 이루어 가고 있다고 생각한다.

6. 섬기는 자인가? 섬겨주는 자인가?

성도님들 중 정신장애 3급이신 분이 계신다. 생계, 주거, 의료급여 혜택을 받고 계신다. 매주 신경과 병원에 방문하여 일주일 분량의 약을 처방받아 약으로 지병을 이기고 계신다. 주 중 교회 예배 참석 외에는 잠으로 시간을 보내고 있다. 최소한의 식사로 연명하는 불우한 성도입니다.

문제는 식사의 불편이다. 송곳니 외 치아가 2개밖에 없어 음식을 씹기 어려우니 식사를 고루 하지 않아 건강하지 못해 만날 때마다 틀니를 권면했다. 설득 2년이 지난 최근에 전체 틀니를 하기로 결심했다. 그런데 문제가 생겼다. 진료 병원을 천안 단대치과병원으로 정하면서 치과에 가는 시간이 대중교통으로 2시간이 소요되었다. 그래서 교회 차량을 이용 봉사하기로 했다. 교회 차량을 이용하면 40분 정도 소요됨으로 이동 시간이 단축되고 차 안에서 이야기할 기회도 되어 기뻤다. 천안에 있는 단대치과병원은 진료 시스템이 체계적으로 잘 준비되어 있었고 특히 장애인 코너가 분리되어 진료 시간이 단축되었다.

드디어 치료는 시작되었고 여러 검사를 실시 한 결과 전체 틀니를 하기까지는 3개월의 시간이 소요되며 여러 차례 방문해야 하는 어려움이 기다리고 있다. 생각보다 잇몸 상태가 좋지 않았고, 뽑히지 않은 치아 뿌리들도 있어서 기초치료 시간이 많이 소요되었다. 현재 6번의 왕래를 통해 치료했지만, 틀니 기초 작업 중이다. 올해 안에는 완성하겠지 하는 넓은 마음을 먹고 차량 봉사하고 있다.

치료받는 성도님도 힘들고 봉사하는 마음도 조바심이 많이 났다. 이 과정에서 같이 기도 많이 했고 그리스도의 지체 의식을 가지고 사랑을 실천하는 좋은 기회라 더욱 다짐하며 육의 마음을 회개하고 영의 마음으로 봉사하고 있다. 그리스도의 지체가 되기 위해 오늘도 기도하며 성도님 치과 진료에 차량 봉사한다. 할렐루야!

7. 꽃향기와 아름다움은 공짜로 오는 것이 아니라오.

주거급여 혜택을 받는 장모님 덕분에 LH 주택공사에서 임대하는 1층 빌라 건물에 입주했다. 남향이고 건물 입구에 잔디가 있어서 화분도 놓고 꽃을 가꾸니 출, 퇴근 때마다 더욱 행복했다. 6세대가 살지만, 건물 주변 청소하는 사람도 없었고, 입주 때부터 떡을 돌리고 통성명을 요청했지만, 반응은 싸늘하여 혼자서 건물 입구에 꽃을 심고 또한 화분들도 놓고 꽃을 가꾸었다.

말씀 준비 중 쉬는 기회로 잠깐 밖에 나가 꽃씨를 뿌리고 잡초 제거하고 꽃 지주대를 설치하고 묶어 주면 꽃은 가을 늦서리가 올 때까지 피워주었다. 백일홍이라는 꽃은 착실하게 피워주어 주변 운동하는 분들에게 정서에 도움을 주었다. 이 또한 나 한 사람이 잠시 시간을 내어 꽃을 가꿈으로 주변 사람들에게 기쁨을 준다면 그리스도의 지체로 더 가까이 가는 소중한 기회라 생각한다.

오늘도 운동하시며 걷는 어르신 한 분이 칭찬해 주신다. "꽃을 보니 기분이 좋고 주변 빌라에 비해 빛이 납니다." 하시며 미소를 지으신다.
또한 교회 입구에도 화분을 놓고 꽃을 가꾸고 있고, 교회 건물 미용실 입구에도 꽃을 분양하니 기뻐하며 미용실에서 교회 자랑을 많이 해주어 간접 전도가 되고 있다.

예수를 믿는 제가 삶의 과정에서 일어나는 모든 일들은 그리스도의 지체가 되는 과정으로 살고 있다. 오늘도 그리스도의 장성한 분량에 이르기 위해 십자가의 삶을 실천하고 있다. 꽃을 가꾸며, 나누며 사랑의 마음을 나누는 모든 삶의 일들은 그리스도의 지체로 변화되는 과정이라고 말하고 싶다. 할렐루야!

결론. 좋은 길이 있다면 지금 한 걸음 걸어 봅시다.

보이지 않는 하나님은 마음속에 사랑으로 계시고, 영으로 계시고, 성경의 말씀으로 계셔서 완고한 고집을 가진 저에게는 사랑을 주셨고, 기쁨을 주셨고, 삶의 희망을 주셨으며 그리스도의 지체로 삼아 천국 시민이 되는 축복을 주셨다. 사람은 짐승과 달라서 이성이 있다. 하나님께서 특별하게 사람에게만 주셨기에 우리는 생각과 판단을 할 수 있는 영적인 피조물이다. 만약 예수님을 알지 못하고 신앙을 하지 않았다면 가족들에게서 왕따가 되었을 것이고 세상 사람들과의 관계는 나만을 위해 사는 놀부나, 전래 동화에 나오는 혹부리 영감이 되었을 것이라 조용히 생각하여 본다.

복음을 전하는 목회자가 되었어도 십자가의 복음을 실천하지 않았다면 하나님을 빙자한 폭군 목회자나 사회에서 지탄받는 사이비 종교가로 되어 있지 않을까 상상해 본다.

지금까지 음으로 양으로 도움을 주신 분들께 진심으로 감사를 드린다. 오늘의 필자가 있기까지 많은 사랑을 받았기에 그 사랑을 또 다른 분들에게 전하고 있습니다. 예수님처럼 빛과 소금이 되는 삶을 실천하고 있다. 많은 재물은 없지만, 성도님들께는 반찬을 나누고, 학교에서는 강의를 들을 때는 강사님께 음료로 드리며, 대학원 동료들과 한 끼의 만찬으로 섬기고, 한 번의 차담으로 섬기며, 가정에서는 설거지로, 방 청소로, 쓰레기 버리는 일과 현관 청소 등 교회에서는 화장실 청소, 계단 청소, 각종 보수는 모두 맡아서 실천하고 있다. 오늘도 기도하는 가운데 그리스도의 지체를 이루려 성화의 과정을 가고 있다고 조심스럽게 결말을 지어본다. 할렐루야!

심주형 '청소년사역전문가'

■ 학력

백석대학교 기독교경영행정학 박사과정 재학

백석대학교 신학대학원 M.Div 목회학 석사 졸업

■ 경력

現 고색평강교회 부목사

前 발안반석교회 부목사

■ 이메일 / 유튜브

이메일: ssss3169@hanmail.net

유튜브: https://youtube.com/@juhyeong1009

청소년을 가슴에 품다.

목차

청소년을 가슴에 품다.

서론. 인생의 방향을 정하는 것

인생을 살아갈 때 만남이 참으로 중요하다. 어떤 만남이 있는지에 따라 그의 인생이 달라질 수 있다고 생각한다. 특별히 청소년 시절에 어떤 분을 만남이 있었느냐에 따라 생각이 행동이 그의 전반적인 삶이 바뀔 수 있다. 그만큼 청소년기에 좋은 분을 만나는 것이 너무나 중요하다.

나는 감사하게도 좋은 교회를 만났고 또한 선생님을 만남을 통해 또 동고동락했던 85년생 들과 함께했던 추억이 있었기에 때론 힘들고 지치고 넘어질 뻔도 있었지만, 오히려 그 추억과 영향으로 인생의 방향을 잡을 수 있었다. 이 글을 읽는 모든 독자에게도 좋은 만남이 이루어지기를 소망하는 마음으로 이 글을 쓴다.

1. 부르심

청소년기에 가장 중요한 건 인생의 목적을 발견하는 것이다.

나는 청소년 시절 인생에 대해 깊이 있게 생각해본 적이 있었다. 나는 왜 태어났는가 나는 태어나서 어디로 가는가에 대해 청소년기에 자신에게 질문을 했었다.

외동아들로 태어나서 외로움이 많았던 나는 친구들 만남이 나에게 삶의 유일한 기쁨이었다. 그러나 잠시뿐이었다.

가장 친한 친구가 나에게 교회에 가자고 했다. 그 친구는 우리 위층에 살았고 매번 나를 볼 때마다 교회 가자고 애원할 정도로 붙잡았다. 나는 이렇게 질문했다.

"교회를 왜 가냐?"

친구가 이렇게 대답했다.

"첫 번째 이유는 친구들이 많기 때문이지."

"두 번째 교회 다니면 좋은 일만 생겨."

나는 그와 같은 답변에 하나님이 이 세상에 어디 있느냐 나와보라고 하나님이 이 세상에 없다는 것을 부인했다. 하지만 진정 행복은 예수님을 만나는 것임을 교회 생활을 하면서 깨달았다. 예수님을 만나기 전과 예수님을 만난 이후에 나의 청소년 시절이 180도 변화되었다. 꿈과 희망이 없던 나는 목회자라는 꿈과 비전을 갖게 되었고 또한 소심했던 나는 친구들에게 전도하면서 예수님을 믿자고 외치는 사람으로 변화되었다.

교회가 너무 좋아서 학교 끝나면 교회에 가서 기도했고 틈나는 대로 책을 읽으려고 했던 나의 모습들 변화되었다 나는 청소년기에 별명은 꼬마 목사였다. 왜냐하면 쉬는 시간에는 무조건 성경 보고 점심시간에는 교회에 다니자고 이야기했기 때문이다.

2. 만남

한참 교회 생활을 재미가 붙이던 중2 여름방학, 교회학교 수련회에 갔다. 여름 수련회 때 가장 기억에 남는 것은 천로역정 프로그램이었다. 천로역정은 코스별로 진행하는 데, 가장 힘이 든 것은 십자가의 길이었다.

그때 사회자는 이렇게 안내했다.

"여러분, 죄를 가장 많이 지었다고 생각하신 분들은 큰 돌을 가져오시고 나는 죄를 별로 안 지었다고 생각하신 분들은 돌멩이 작은 것을 가져오세요."

나는 스스로 죄를 많이 지었다고 판단이 돼서 내 몸집이 작았음에도 불구하고 엄청난 큰 돌을 가지고 산에 올라갔다. 비 오듯 땀이 흘렀고 너무나 힘들어했던 나에게 학생부 형에서 나를 도와줘서 십자가의 코스를 무사히 잘 마치게 되었다.

그날 저녁 집회 때 하나님께서 나의 행동한 모습을 보시고 그날 기도회 때 인격적으로 나를 만나주셨다. 하나님께서 진정 나를 위해 십자가에서 돌아가셨던 것이 믿어지게 되었고 내가 얼마나 하나님을 마음을 아프게 한사람이었는지와 진정 내가 죄인이라는 사실을 깨닫게 되었다. 그리고 담당해주셨던 목사님께서는 이처럼 결단의 메시지를 전하기 시작했다.

"여러분들 중에 하나님께 서원하고 싶은 사람은 손을 들어주세요."

나는 오로지 주님의 영광을 위해 살아가겠다고 고백하면서 하나님께 서원했다.

본격적으로 신앙생활을 하던 나는 고등학교 때 교회 선생님을 만났다. 그 선생님은 청소년들을 어떻게 사랑하는지에 대해 직접적으로 가르쳐주셨다. 내가 지금까지 청소년들을 사랑하는 데, 많은 영향을 주었던 선생님이셨다.

한결같이 우리 또래 애들을 챙겨주고 함께 먹고 함께 놀러 가고 사랑은 이렇게 해야 한다는 걸 배우게 되었다. 지금도 연락하고 지내는데 그 당시 아낌없이 주었던 그 사랑이 내 인생에 새로운 전환점이 되었다.

3. 방황과 사역

20대 신학교에 들어가서 문화적인 충격이 있었다. 그것은 신학생들이 담배 피우고 술을 먹는 문화였다. 그 당시 나는 이해할 수 없었던 광경이었고 나는 결국 회피로, 다른 친구들보다 빨리 입대했다.

제대 후 등록금을 벌기 위해 취업했지만 취업하면서 느꼈던 돈에 대한 감정을 떨쳐낼 수 없었다. 그래서 나는 결국 자퇴를 선언하고 부자가 되기 위해 달려갔다. 그 당시 방황은 뭔가 목회자의 삶을 가게 되면 내가 하고 싶은 것을 할 수 없다는 것이 큰 어려움으로 느껴졌다. 나는 돈을 벌기 위해 낮이든 밤이든 성공을 위해 달려갔다. 좋은 집을 갖고 싶었다.

방황하던 중에서도 하나님은 내게 은혜를 주셨다. 모 교회 담임목사님께서 다시 목회할 생각은 없냐고 말씀하면서 나에게 목회자가 되는 것이 어떻겠냐는 부르심이 있었지만, 여전히 부인했다.

하지만 부인하면서도 여러 환경과 사람을 통해 나는 결국 두 손 들고 하나님 앞에 항복하게 되었다. 세상에서 방황을 내려놓고 다시 목회자의 삶으로 가기로 했다.

나는 결국 향남지역에 있는 교회에 부임하게 되었다. 화성이라는 지역은 이미지가 있다. 그것은 살인의 추억에 나온 살인사건 나온

지역이 바로 화성이다. 화성에 특징은 젊은 부부들이 많다. 젊은 부부들이 많다는 것은 그만큼 다음 세대들이 많다. 향남지역은 아쉽게도 대학교가 없어서 대부분 고등학교 졸업하면 다른 지역으로 출타하는 경우들을 보게 된다. 향남지역은 중고등학교가 최소 6개 이상이다. 그만큼 청소년들을 만날 기회가 많다는 게 큰 장점이다.

내가 교회에 부임했을 때, 교회 상황은 패배주의가 팽배했고 사역자에 대한 불신이 컸다. 왜냐하면 대부분 사역자가 사역 기간이 짧았고 정을 주면 바로 떠나는 경우들이 많아서 내가 부임했을 때는 이미 청소년부 공동체가 침체 중이었다. 상황을 파악하고 부임하자마자 첫 번째 한 것은 일대일 심방이었다.

심방을 위해 일대일로 만날 때, 반드시 지키는 원칙이 있다. 심방할 때는 먼저 부모님에게 알린다는 것이다. 부모님이 심방한다는 사실을 아는 것과 모르는 것은 천지 차이다.

다른 이유는 내가 자녀에게 관심을 주고 있다는 메시지를 전할 수 있다는 점이다. 특별히 자매들을 만날 때는 더 철저히 연락한다. 왜냐하면, 사역자들은 오해에 행동이 있을 수 있으므로 혹여나 불이익이 생길까 봐 미리 말씀을 드리게 되었다.

일대일 심방을 할 때 중요한 건 먼저 신앙 이야기를 하지 말아야 한다는 점이다. 맨 처음부터 신앙 이야기를 해버리면 이미 마음에 문을 닫히는 자기 속 깊은 이야기하지 않는다. 그래서 내가 경험할 때 제일 먼저 근황을 이야기하고 또한 학교생활 학원 생활 중심으로 이야기하는 것이 더 좋다.

또한, 사역자가 어떻게 해주면 좋겠냐고 질문해보는 것이 좋다. 학생들은 공통으로 나에게 질문한다.

"전도사님은 우리 교회에서 얼마나 사역하실 것에요? 금방 떠날 거죠?"

"아니, 난 오래 사역할 거야."라고 대답했다.

일대일 심방을 하면서 점점 아이들의 마음이 열렸다. 그러나 한 친구는 마음 열기까지 오래 걸렸다. 그 친구는 사역자의 불신이 커서 내가 말을 하면 모든 것이 부정적이었고 마음에 안 들어 했다. 그러나 내가 끝까지 너를 응원하고 사랑한다고 행동으로 보여준 결과 누구보다 기꺼이 헌신하고 함께 찬양팀도 하면서 동역자가 되었다. 심방은 사랑이다. 사랑을 보여주면 청소년들은 반드시 변환된다.

4. 프로젝트와 열매

어느 정도 청소년들과 관계가 형성이 시작할 때 내가 어떤 사역을 하면 좋을까 고민을 많이 했다. 하나님께 기도했다.

"하나님 그 다음 어떤 사역을 해야 할까요?"라고 기도하는 데, 하나님께서 청소년들의 외로운 감정을 느끼게 하셨다.

대부분이 맞벌이 가정이라는 현실을 보게 되었고 그래서 일상이 학교와 학원이 반복되는 일상에서 벗어나고 싶은 청소년들이 많았다. 물론 나에게 맡겨진 청소년들도 사랑이 필요했음을 나는 느꼈다. 분석하며 나는 무엇을 할 수 있을까 고민한 결과, 학교로 학원으로 청소년들이 필요한 곳에 어디든 달려가자고 프로젝트를 기획하게 되었다.

2018년 4-6월 학교로 간 심전도사

그래서 제일 먼저 광고를 만들었다. 한창 유행이었던 영화 포스터, 송강호가 찍은 택시 운전사를 패러디하였다. 메인 제목을 '심전도사가 간다'고 만들었다. 그전에 교사 선생님들에게도 함께 상의한 다음에 실행해야 협력자가 되어 줄 수 있다고 판단하여 선생님들과 함께 나눈 뒤 실행했다.

1년 동안 비가 오나 눈이 오나 등교 심방 / 점심 심방 / 학원 심방을 했고, 중간고사 기말고사 365일 심방을 한 결과 '진심으로 나를 아껴주고 사랑한다'라는 것을 청소년들이 깨닫게 되었다.

심방 사진

청소년 한 명 중 다른 지역에 살았던 청소년이 있었다. 그 친구는 매번 나에게 전도사님 오지 마세요. 또는 너무 멀리 있다고 말했지만, 나는 중간고사나 기말고사 때가 되면 그 친구를 만나러 꼭 시간을 냈다.

그 친구는 내가 막상 가면 즐거워하고 또 친구들에게 소개하면서 전도사님이라고 자랑했다. 청소년들은 사랑의 거짓말을 한다. "오지 마세요. 안 오셔도 돼요."라고 말하지만, 막상 가면 엄청나게 좋아한다는 걸 확인할 수 있을 것이다.

그 아이가 어느덧 청년이 되었고, 내 생일에 전화가 왔다. 케이크 기프티콘을 주면서,

"목사님 감사했습니다. 사회인이 되어보니 나를 위해 신경 써주시고 기도해주셨던 목사님이 생각이 났습니다."

진심으로 감사했다는 사랑의 고백을 받았다. 사실 다음 세대를 섬기는 당장에는 열매가 보이지 않는다. 어른 목회는 당장 변화가

보이지만 다음 세대는 마치 깨진 독에 물 붓기라고 생각할 수 있다. 그러나 포기하면 안 된다. 포기하지 않고 끝까지 그 길을 묵묵하게 걸어간다면 분명 청소년들은 변한 것이고 아끼지 않고 사랑을 준다면 분명 협력자들로 성장할 것이다. 나는 하나님께서 내게 주신 이 경험이 진실이라고 생각한다.

5. 함께 만드는 예배

나는 사역할 때 중요한 원칙이 있다. 그것은 교역자 / 교사 / 학부모와 함께 사역해야 한다는 점이다. 교역자만 죽어라 하거나 교사만 열심히 일해서도 안 된다. 나는 세 그룹이 함께해야 더 큰 사역을 할 수 있다고 생각한다.

그래서 5월 중에 부모님과 함께하는 예배를 기획했다.

1. 청소년들이 학부모님에게 감사 인사
2. 학부모님들이 청소년들에게 감사 인사

예배를 드리며, 촬영했던 영상들을 소개했다. 대부분 학부모님뿐만 아니라 학생들도 함께 좋은 시간을 나눌 기회이며 함께 울고 함께 즐거워했던 사역 현장이었다. 기회가 된다면 5월 행사 중 학부모님들과 함께하는 예배를 기획해보는 것을 추천한다.

학부모와 함께 드리는 예배

찬양팀을 만들어갈 때 가장 중요한 것은 관계다. 2년 정도 사역하다가 관계가 형성될 때 찬양팀을 만들어가는 게 중요하다고 판단했다. 고1~중2까지 시간이 되는 친구들을 지원하고 함께하자고 제안하여 총 7명이 모여서 찬양팀을 만들었다.

어떤 팀을 만들 때 중요한 건 그 팀에 교사가 필요하다는 점이다. 왜냐하면 교역자들은 일에 업무가 생각보다 많아서 오히려 선생님과 동역하는 게 중요하다. 매주 토요일마다 자기 시간을 내서 연습도 하고 연습 후에는 함께 교제하러 가고 또 운동하면서 견고한 공동체가 될 수 있었다. 찬양팀이 기쁜 마음으로 섬기는 걸 보고 일반 청소년부 친구들도 동기가 부여되어, 약 8명 정도가 함께 찬양팀을 사역하게 되었다.

6. 성경공부와 관계

청소년부 2년 차 사역을 할 때 나에게 고민이 한 가지 있었다. 바로 교육이었다. 어떻게 교육해야 할까를 고민한 결과 두란노 교재로 나온 일대일 제자 양육 교재를 가지고 제일 처음 찬양팀에 있는 1명과 약 10주간 교육을 진행했다. 구체적으로 교리와 또한 실천력으로 어떻게 교회 생활을 해야 하는지 가르치며 청소년부 1명이 변화된 모습을 보게 되었다.

한 가지 아쉬운 것은 부득이하게 청소년부 사역을 하다가 유아유치부로 사역하면서 자연스럽게 제자훈련은 1명만 하고 사역을 마치게 된 점이다. 청소년부 사역에 기회가 온다면 더 체계적으로 기획안을 만들어서 제자훈련을 깊고 넓게 하고 싶은 생각이 있다.

제자훈련을 통해 학생이 쓴 소감문을 소개한다.

이번 1대 제자 양육 교육을 받으면서 안 읽던 성경도 읽게 되었고 예전에 예수님께서 어떻게 사역하셨는지, 가전고(가르치고, 전하고, 고치고)가 제일 기억에 남는다. 성경 공부를 한번 한번 할 때마다 꼭 성경을 읽고 나갔다. 그리고 이걸 하면서 내가 참 많이 바뀌었다고 생각한다. 왜냐하면 내가 집에서도 안 하던 성경 공부를 집에서도 하기 시작했기 때문이다. 이 교육을 받으며 끈기가 생긴 것 같다.

하긴 겨울부터 해서 지금이 여름인데 전도사님도 나 하나만 가르치면 안 되고 다른 아이들에게도 전해야 하는데 그런 부분에서 참 죄송스럽다. 그래도 만날 때마다 웃으며 만나서 정말 좋았다. 그런데 학교와 학원을 나가야 해서 어려움이 많았다. 피곤해서 하기 싫었고 진짜 많이 힘들었다. 그래도 하려고 자기 전에 한 장씩 예습하고 자거나 이틀씩 쪼개서 하거나 했다. 이제 이번이 마지막이니 아쉬움이 많이 남는다.

- 최00 학생

청소년 성경공부 교재는 풍성한 삶의 기초 또는 내가 사용했던 두란노의 일대일 양육으로 사용해 보길 추천한다.

청소년부 사역을 하면서 중요한 것은 관계이다. 친구와의 관계, 교사 선생님들과의 관계, 목사님과의 관계, 청소년기에는 또래 집단의 관계도 너무나 중요하다. 흔히 '친구 따라 강남 간다.'라는 말처럼 친구가 수련회 가자고 하면 친구 따라 수련회 가는 친구들을 보게 되는데, 공동체 안에 친구들이 서로 싸우면 그만큼 여파가 커진다.

내가 청소년부 사역할 때도 또래 안에 불화로 인해 큰 어려움이 있었다. 결국 그 친구들은 모두 청소년부를 떠나게 되었고 내게는 아픔으로 남았다. 청소년부 안에서 공동체에 불화는 너무나 치명적이며, 독이라고 생각한다. 공동체 안에 관계 형성은 너무나 중요하기 때문에 설교를 통해서 공동체에 대한 자세 또한 마음 다짐으로 교회란 어떤 곳인가에 대해 충분한 설명이 필요한 것을 깨닫게 되었다.

7. 비전트립

부임 당시 청소년부에서 비전트립이 한참 준비되고 있었다. 준비는 시작했지만 정작 떠나지는 못했다. 나는 하나님의 때가 아니었기 때문이라고 생각한다.

감사한 것은 내가 부임한 이후 1년 동안 청소년부를 사역한 뒤에, 2년 차가 되었을 때 태국으로 비전트립을 떠날 수 있었다. 더 감사한 것은 나와 함께 동역했던 전도사님이 비전트립 경험이 있어서 함께 행정으로 협력할 수 있었다. 나는 청소년부 교육 및 태국 언어를 교육했고, 전도사님은 예산 등을 전반적으로 섬겼다.

개인적으로 비전트립을 준비할 때는 무엇보다 항공권을 빨리 구매하는 것이 필요하다고 생각한다. 일정을 잡으면 항공권을 빨리 예약해야 비용을 최대한 절감할 수 있다. 우리도 6개월 전에 태국으로 가기 위한 항공권을 예매하여 예산을 줄일 수 있었다.

비전트립의 큰 장점은 준비하는 과정이 힘들고 지치지만 참여한 팀원들에게 더 끈끈한 관계가 맺어진다는 점이다. 일주일에 최소 3번 정도 만나서 언어를 공부하고 기도도 하고 공연을 준비하면서 더 깊게 대화할 수 있는 시간을 갖게 되었다.

코로나19 시기에는 비전트립을 할 수 없었지만, 지금은 제약이 사라져 할 수만 있다면 비전트립을 기획하고 또 이 기회를 통해 청소년들이 새로운 꿈을 향해 달려가는 계기를 마련하기를 추천한다. 비전트립은 청소년과 청년 사역에 큰 도움이 될 것이다.

비전트립을 준비하며 좋은 이벤트 중 하나는 바자회다. 바자회를 하며 청소년들이 직접 요리도 준비하고 판매하면서 얻은 이익으로 태국 비전트립에서 선교사님에게 필요한 물품들을 사고 후원도 할 수 있었다.

비전트립마다 상황과 일정이 다르다. 우리는 비전트립에서 선교사님과 함께 공연도 하고 복음 팔찌도 만들면서 어린이들과 함께 전도사역을 진행했다.

해외여행은 무엇보다 안전이 중요하기에 개인행동이나 지시를 따르지 않으면 어려움이 있을 수 있으므로 반드시 계획을 따를 수 있도록 격려하며 함께 해야 한다는 사전교육이 중요하다.

현지는 한국문화와 달라서 음식과 자고 일어나는 모든 게 새로운 환경이기에 적응하는 데 에너지가 필요한 게 비전트립이다. 청소년들이 비전트립을 다녀온 뒤로 너무나 친해졌고, 그 영향력이 공동체 안에 좋은 열매가 되었다.

청소년들은 아파하고 있다 치열한 경쟁으로, 입시로, 스트레스를 경험하고 있다. 아프니까 청춘이라는 표현도 있지만, 나는 청소년부 아이들이 아프지 않길 바란다. 그들은 너무나 사랑이 필요하다. 그들에게 필요한 사랑을 내가 어떻게 표현해주는 것이 좋을까를 늘 고민한다. 코로나19로 인해 개인주의가 심해지고 교회의 복음마저 힘을 잃어가는 모습이라 참으로 안타깝다.

지금은 시대적 상황과 지역적 특성을 분석하여, 청소년들을 이해하며 그들을 진정 사랑으로 품는 교회가 필요하다.

결론. 마지막까지

이 글의 독자들은 청소년들을 보며 설레는 마음이 있는지 질문하고 싶다. 진정 청소년들을 향한 긍휼함이 있는지를 질문하고 싶다.

나는 학생들이 피곤한 채 학원에 돌아가는 모습이 안쓰럽다. 그들을 향해 기도한다. 학생들이 너무나 소중한 사람이라는 걸 깨닫게 해주고 싶다.

청소년 사역이 힘들 때도 있다. 중2병, 개인주의, 등 수많은 어려움이 있다. 그러나 묵묵하게 그 길을 걸어가면 분명 열매가 맺힐 것이라 확신한다. 묵묵하게 그 길을 걸어가다 보니 청소년으로 만났던 친구들이 변화되어 나와 함께 동역하는 모습을 직접 체험했다. 청소년들을 사랑하는 여러분을 응원한다. 포기하지 않고 이 길을 걸어가면 좋겠다. 샬롬. 주님의 평안이 여러분에게 있기를 축복한다.

청소년들을 죽기을 때까지 사랑하고 싶다. 할 수만 있다면 청소년들과 함께 웃고 청소년들과 함께 우는 목사가 되고 싶다. 내가 죽어 애도할 때 이렇게 기억되기를 바란다.

그는 진정 청소년 사역자였고 청소년을 사랑했노라고….

내 삶의 마지막까지 이렇게 살 수 있기를 소망한다.

추재영 ‘기독교마음경영전문가’

■ 학력

백석대학교 경영행정학과 박사과정 재학

백석대학교 신학대학원 M.Div 목회학 석사 졸업

백석대학교 기독교학부 기독교철학 학사 졸업

백석대학교 기독교학부 신학과 복수전공 학사 졸업

■ 경력

現 베들레헴교회 부목사

■ 이메일

haha921202@naver.com

하나님 나라를 회복하는 마음 가지기

목차

하나님 나라를 회복하는 마음 가지기

서론. 넉넉하고 여유 있는 마음 가지기

많은 사람이 믿는 도끼에 발등 찍혀본 경험이 있을 것이다. 나에게는 믿는 것이 나 자신이었고 또 세상이었다. 그래서 믿음이 꺾이는 경험을 많이 했다. 나와 세상은 믿을 것이 못 되기 때문이다. 하지만 이러한 생각이 단번에 들었던 것은 아니다. 여러 차례 쌓인 경험들로 알게 된 나만의 방법이다. 그렇지만 이 진리를 깨닫게 된다면 그동안 세상에 상처받고 배신당했던 많은 사람이 왜 그럴 수 밖에 없었는지 이해하게 될 것이다. 동시에 세상을 보는 시각 또한 달라져 넉넉한 마음가짐과 여유를 챙길 수 있게 될 것이다.

나를 믿으면 내 안에 갇힌다. 내가 세상의 중심이 되고 모든 상황과 환경이 나로 인하여 돌아가게 된다. 문제는 그 '나'가 무너지면 세상 또한 무너지는 것이다. 내가 넘어졌기 때문에 나를 이루는 세상이 온전히 돌아가지 않는 것을 경험한다. 그렇다고 세상을 믿을 수는 없다. 물론 세상이 무너지지는 않겠지만 세상이라는 것 자체가 본질적으로 문제가 있다면 그러한 세상은 믿을 존재가 될 수 없다.

세상은 불합리하다. 공정하지 못하다. 부자들만 더 잘살게 되고, 못사는 사람들은 더 못 살게 된다는 말들이 틀린 말이 아니다. 하지만 이러한 문제들을 차치하더라도 근본적으로 세상은 문제가 있다. 그림자 속에 있기 때문이다. 플라톤의 국가론을 보면 동굴의 비유가 나온다. 사람들이 동굴 안에서 벽에 비친 그림자만을 보고 그것이 진짜인 것처럼 살고 있다. 그러나 사람들의 뒤편엔 해가 떠 있는 실제 세상이 동굴 출구 너머로 보인다. 플라톤은 하나님은 믿지 않았더라도 신의 존재는 불가결하다고 보았다. 철학자는 괜히 철학자가 아니다. 세상을 살아가는 우리는 어둠 안에서 빛으로 만들어지게 된 그림자를 보고 살아가고 있다. 그림자는 빛으로 인하여 만들어졌지만, 빛은 아니다. 그래서 혼란스럽다. 모양은 빛으로 보는 모양과 같은데, 속성은 어둠이고 그림자 자체로 온전하지 못하다. 지금 세상이 그러하다는 뜻이다.

우리가 이제는 어두운 세상을 등지고 진짜 해가 떠 있는 출구 쪽으로 시선을 돌린다면 새로운 세상을 맞이할 것이다. 그러기 위해서 해야 하는 작업이 하나 있다.

1. 어린 시절 이야기

내 어린 시절은 경제적으로 크게 부족하지 않았다. 하고 싶다고 말한 것은 다 했었고, 얻고 싶었던 것은 다 얻었다. 그리고 무엇보다 외동아들이었기 때문에, 더욱 그랬을 것이다. 서울시 종로구는 나에게 있어 특별한 곳이다. 그곳에서 태어났고, 짧다면 짧은 지금까지의 인생 중 반 이상을 그곳에서 보냈기 때문이다. 종로구는 지금도 대한민국 부촌(富村) 하면 열 손가락 안에서 빠지지 않는 곳이다. 그중에서도 대통령이 지내는 공간인 청와대가 보이는 곳에서 살았으니, 어린 시절을 가난하게 보냈다고 한다면 거짓말일 것이다.

그렇게 순탄하게만 살아왔다면 이렇게 회고하는 글을 쓰고 있지도 못할 것이다. 여느 드라마의 내용처럼 우리 집도 가세가 기울고, 여유 있는 삶에서, 여유는 사치가 되는 삶으로의 변화를 맞이하였다. 그러나 어린 시절부터 가질 수 있었던 것은 다 가졌고, 말하면 그것이 현실이 되었던 환상적인 삶에서 아직 벗어나지 못했던 과거의 나는 돌이켜보면 부끄러운 행실을 많이도 졌었던 것 같다.

고등학생 때의 일이다. 지금은 이름도 기억나지 않고, 얼굴도 희미한 한 친구가 있다. 그렇게까지 친하지 않았던 사이라는 뜻이다. 그러나 어쩐 일인지 그 친구와 함께 휴대전화를 바꾸러 휴대전화 대리점에 같이 갔었고, 그 자리엔 나의 엄마도 함께 있었다. 친구는 먼저 본인 자금으로 가지고 싶었던 휴대전화를 구매했고, 뒤이어 나의 차례가 다가왔다. 나 역시 가지고 싶었던 휴대전화를 골랐으나, 엄마는 가격을 이유로 구매를 망설였다. 어릴 적부터 가지고 싶었던 것을 다 가졌었던 나로선 그 상황을 이해할 수 없었고, 그

것이 잘못된 줄 알면서도 친구 앞에서 창피했었던 것인지 엄마에게 "왜 못 사줘!"라며 짜증을 부렸다. 엄마라는 존재는 나에게 의지의 대상이었고, 삶의 방패막이자, 온실이었다. 그래서 나는 짜증을 부렸던 그때의 상황이 더욱 지우고 싶은 과거 중 하나이다.

내가 욕심을 부리는 마음을 고쳐먹게 된 또 다른 이유 중 하나는 기대하지 않는 법을 터득했기 때문이기도 하다. 중학교 때까지만 해도, 생일이면 다른 친구들과 시간을 보내는 것이 당연했다. 함께 맥도날드에서 햄버거를 먹으며 소소하게 준비한 선물을 나누며 그 하루를 온전히 즐기는 것이 나에게 생일 그 자체였다. 그러나 고등학교에 올라오고 나서 새로 사귄 친구들은 그런 문화를 좋아하지도 않을뿐더러 나 역시도 그런 모임에 관한 생각들이 유치한 것처럼 느껴져서인지 거리끼게 되었다. 하지만 내 속에 잠재된 의식은 아직도 생일에 대한 열망이 있어서였는지 생일 때마다 아닌 척했지만, 그것이 교감이든지 선물이든지 기대하고 있었다. 그러다 고등학교 2학년 생일이었던가, 생일이라고 받았던 뒷자리 친구의 부러진 볼펜과 몽쉘 하나로 나의 환상은 전부 깨지고 말았다. 물론 그 친구는 장난이라고 그렇게 준 것이겠지만 나에게 있어서 생일이라는 의미는 하나의 의식과도 같았다. 그 친구의 선물로 내가 가지고 있던 생일에 받는 당연한 대접과 기대 요소들이 무너져 내렸다. 엄밀히 말하면 더 이상의 기대감이 상실된 것이다.

생일이라는 것에 대하여 기대하지 않게 된 것이 더 나아가 나의 삶 전반을 지배하게 되었다. 무언가를 기대하는 것에 대해 실망이 크다는 것을 경험하고 나니 기대보다는 생각을 지우는 데에 더 힘을 썼고, 애초에 그 기대에 닿지 않으려고 기대치를 많이 낮추게 되었다. 그렇게 나는 대학에 들어가게 되었고, 군대에 입대하게 되었다.

2. 군대 이야기

군대라는 환경은 세상과 전혀 다른 곳이었다. 작은 사회였던, 대학 시절에 통했던 것들이 군대에서는 틀린 답이었고, 화합보다는 억지 규율만이 존재했던 곳이었다. 그곳에서 또 한 번 나는 깨졌다.

대학교 4학년을 휴학 없이 졸업하고 온 입대를 한 덕분에, 대부분 나보다 어린 사람들이 선임이었다. 그래서 이등병이었던 추재영은 병장이 나이가 어리다고 해서 평등하게 바라보면 안 되었던 것인데, 그걸 그렇게 해냈다. 하루는 일과를 마치고 개인 정비 시간이 거의 마무리될 때쯤 이등병으로서 샤워를 진즉에 끝냈어야 했다. 그러나 동기와 신나게 놀았다는 핑계로 샤워를 늦게 하게 되었다. 문제는 그 샤워실에 가장 힘이 막강했던 병장이 한 명 있었다는 사실이다. 그 병장은 같은 수송부 선임이었는데, 성격은 말도 못 했고, 무엇보다 사단장 운전병이어서 우리 전 부대에서 가장 선망받는 사람이기도 했다. 이등병이었던 나는 아직 군대 분위기에 적응하지 못해서였는지, 그 병장이 왜 늦게 샤워하냐는 질문에 이런저런 핑계를 대는 것보다 더 위험한 답변을 해버렸다. "어쩌다 보니 늦게 샤워하게 되었습니다". 병장의 눈이 찡그려졌고, 그 상황에서 나는 대학 시절처럼 평등한 대화를 기대해서였는지, 싱글벙글 동기생활관으로 돌아왔다. 하지만 돌아온 것은 싱글벙글 군대생활이 아니라, 집합이었다.

그날 저녁, 저녁 점호를 마치고 취침을 하기 전 선임들이 가득한 곳으로 불려 간 나는 또 다른 세상을 마주했다. 맞선임이 먼저 물었다. "너 혹시 샤워 늦게 했어?". 그렇다고 대답하고 나는 똑같은 답을 맞선임에게 해주었다. 분위기가 차가워졌다는 것을 실시간으로 느꼈고, 분대장 선임이 똑같이 나에게 물었다. "ooo 병장님이 물었는데, 네가 그렇게 대답한 것이 맞나?". 그렇다고 대답하자, 그 공간의 모든 시선이 나에게로 집중되었다. 그 순간만큼은 평생 잊지 못할 순간일 것이다. 또 내가 가지고 있던 또 다른 세계관이 무너지는 순간이기도 했다. 대학 시절처럼 모두가 웃으며, 장난칠 수 있는 사회가 아니구나. 나는 이제 큰일 났다고 생각했다. 계급순으로 돌아가며 강압적인 분위기에서 한마디씩을 하는데, 살면서 처음 겪어보는 순간이었다. 당황하기 그지없었고 빨리 그 자리를 떠나고 싶었을 뿐이다. 다행이라면 다행인 것은 그 당시 부대에서 선진병영 문화를 외치고 있었던 터라 신체적인 폭력이 없었다는 것이다. 하지만 정신적인 폭행도 폭행이지 않은가. 누구나 군대를 다녀온 사람이라면 경험했을 법한 상황이지만, 나에게 있어서 군대란 내가 가지고 있던 세계관을 무너뜨리고 내 안의 기쁨, 행복의 조각을 일부분 상실케 만드는 곳이었다.

누구나 그렇게 이야기하지만, 나는 그런 부조리를 없애고자, 후임들에게는 정말 최선을 다해 대해주었고, 육체적인 것은 당연하고, 정신적으로도 폭력 그 자체를 행사하지 않았다고 자부할 수 있다. 오히려 나 자신이 너무 무른 게 아닌가 싶은 정도로까지 계급이라는 권위를 놓고 살았다고 할 수 있다. 하지만 아직도 헤쳐나가야 할 산이 너무나 많았다. 일병 때에는 나에게 잘해주고 굉장히 믿고 있던 선임한테, 똑같은 집합 시간에 한 소리를 들었을 때가 있었는데, 얼마나 서러웠는지 군대에서 유일하게 눈물을 쏟아냈던 하루였다. 그 집합도 사실 내가 잘못해서 모인 것이 아니고 오히려 억울했다면 억울했던 사건인데, 그런데도 잘못은 내 잘못이 되어버린 것이다. 하지만 어쩌겠는가. 군대란 계급순인 것을. 그런 상황 중에서 믿었던 선임이 나에게 나무라자, 감정을 참을 수가 없었다. 하지만 군대가 좋은 점은 시간이 지날수록 선임들은 없어지고 후임들은 늘어난다는 사실이다.

상병 때의 일이다. 나는 운전병으로서 맡을 수 있는 꽤 괜찮은 자리인 2호차 운전병이 되었는데, 사단 본부 운전병이었던지라 장군을 모시고 다니게 되었다. 그러다 하루는 사단장 운전병이 다른 일로 부재하게 되자 내가 사단장을 모시게 되었다. 하필 그날이 또 합참의장이라고 하는 군에서는 국방부 장관 다음으로 높은 직위를 가진 분이 우리 부대에 오시게 되었는데, 잠깐이었지만 내가 사단장과 합참의장 두 분을 동시에 모시게 된 것이었다. 살면서 이렇게 높은 사람이랑 같은 공간에 있기도 힘들다고 생각하면서 굉장히 긴장했었다. 둘의 대화도 이제야 지나고 나니 상관이 없겠지마는 기밀에 붙일만한 대화였다. 둘이 한참을 대화하고 난 뒤 합참의장이 "자네도 기밀 사항이니 누설하지 말게"라고 언급할 정도였으니, 아무것도 아닌 운전병이었지만 무언가 나도 왠지 모를 자부심에 둘러싸인 느낌을 받았다.

또 나는 기대하는 점이 있었다. 합참의장 같은 분을 만나면 꼭 운전병들은 희소한 물품을 받는다는 이야기였다. 예를 들어 합참에서 발행한 작은 코인 같은 것이다. 과거 사단장 운전병이 그 코인들을 자랑하며 자신은 코인도 받고 시계도 받았다며 자랑했던 게 기억났다. 문제는 이때도 나는 내 안의 욕심을 죽이지 못하고 너무나도 가지고 싶어서였는지, 한참을 잡고 놓지를 않았었다. 그날 저녁 내가 왜 그렇게 이런 것에 집착했느냐며 후회를 했던 것도 기억난다. 그러나 합참의장을 내가 직접 모실 기회를 얻다 보니 내 안에 숨어있던 그 악마 같은 욕심들이 또 꾸물거리며 기어 올라온 것이다. 하지만 기대가 크면 실망이 크다는 과거의 격언을 잊은 채 나는 또 실망을 맞이했다. 잠깐의 만남이었었는지는 몰라도 합참의장은 그냥 그대로 가버렸고, 나는 기대했던 바를 얻어내지 못하였다. 뒤늦게 과거의 내가 다시 떠올랐다. 별것도 아닌 걸 가지고 집착해서 얻어내지 못했다고 후회하는 나를 말이다. 이 사건으로 다시 한번 내 안에 있는 욕심의 자아를 들여다볼 기회를 얻게 되었다.

군대에서의 교회 생활도 마찬가지였다. 입대 전 다니던 교회에선 드럼을 쳤던 내가 막상 군대에 들어가 보니 너무나도 화려한 요건을 가진 청년 군인들 때문에 기회를 받지 못했다. 본부 교회였는지라 각지 부대에서도 다수가 이 교회로 왔고, 그중에 신학생도 꽤 있었다. 다들 교회에서 찬양팀 리더나 악기를 수없이 다루어 본 실력자들이어서 나는 끼워달라고 하기도 민망할 정도였다. 가끔 드럼 대타가 필요할 때마다 가서 치는 정도였다.

여기서 적당히 빠졌으면 좋았을 것을, 또 욕심을 내기 시작한 나였다. 찬양팀 리더가 너무도 되고 싶어서 일부러 리더를 하는 선임에게 가 나의 욕심을 말하기도 하고, 또 기회를 잡기 위해 교회도 열심히 나갔다. 중요한 것이 무엇인지를 잊어버린 형국이었다. 이러한 상황에서 결국 찬양팀 리더 대타를 맞게 되었고, 또다시 나는 대타로 나간 자리에서 하나님을 찬양하는 리더보다 내가 나의 욕심을 채우고 나를 드러내는 리더가 되어버렸다. 무엇이 중요한 것인지 본질을 잃어버린 것이다. 찬양의 자리는 내가 아니라, 하나님이 받으셔야 하는데 그 영광을 나 홀로 독차지하고 싶었다. 하지만 그때의 나는 그것이 잘못인지를 알지 못하는 상태였고, 그저 리더라는 자리가 주는 권위에만 매몰되어있었다.

찬양팀 리더 말고도 유초등부 선생님이라는 자리 또한 문제였다. 신학을 전공하고 전도사 사역을 사회에서 하고 온지라 자연스레 교회에서 소소한 자리를 맡게 되었다. 그러나 나 말고도 다른 군종

병들도 있었고, 그들 역시 신학을 전공했거나 신학을 배워가는 사람들이었다. 그렇기에 내가 원하는 자리에 내가 들어가기가 어려운 상황이었다. 하나님이 보시기에 이런 상황은 옳지 못한 것이 분명하다. 내가 내 욕심으로 섬김의 자리를 차지하려고 하는 것은 마치 바리새인 같은 행위였기 때문이다.

그러나 나는 시각장애인처럼 보이지 않았고, 원하는 자리에 내 힘과 욕심으로 들어가려고 했었다. 그 자리가 유초등부 선생님이었고, 그 자리를 맡게 되면 주일 날마다 정당하게 교회 출석으로 생활관을 비울 수 있었고 또한 주말 일과 역시도 합법하게 뺄 수 있었기 때문이다. 물론 경직된 군대 사회 속에서 탈출하고 사회의 향기를 잠시라도 맡을 수 있다는 점도 한몫했다. 유초등부 아이들이 전부 군 간부들의 자녀들이었지만 교회에서 만나는 간부들은 경직된 간부들이 아니라 사회에서의 집사님, 장로님 같았다. 그래서 더욱 교회가 도피처가 되었고, 유초등부 자리에 탐이 났다. 많은 병사가 교회에 출석했지만 나는 먼저 유초등부 선생님을 맡고 있던 선임과 친했던 덕분에 그 자리를 쉽게 차지할 수 있었고, 그 과정 중에 다른 병사에게 그 자리를 빼앗기지 않기 위해 스스로 완악해졌다. 그 자리를 언급하는 사람만 있어도 혼자서 괜히 예민해졌고, 그 자리는 내 자리라는 것을 보여주기 위해 유초등부실에서 자주 시간을 보냈다. 결국 그 자리를 차지하게 되자 나는 안정감을 얻었으나 이것을 위해 스스로 지난 시간 동안 다른 병사들을 견제하고 또 예민해져서 신경질적인 사람이 되었다는 사실이 안타까웠다. 그러나 군대에서의 나는 그런 과정에서 좋지 않은 쪽으로 내가 변하고 있다는 것을 객관적으로 알기 어려웠다.

전역을 앞두고 지난 1년 8개월의 시간을 돌아보았을 때, 이등병 때의 나와는 또 다른 나 자신이 되어 있었다는 사실이 발을 붙잡았다. 최소한 이등병 시절의 나는 후임을 위해서 힘든 근무를 마치고 남들이 자는 시각에 100일 휴가를 나가는 친구를 위해 군화를 닦아주던 사람이었다. 그러나 병장 때의 나는 후임을 위해 챙겨주기보다 오히려 계급 차이로 더 좋은 자리를 차지하고, 더 편한 근무를 넣어달라고 요청하고, 뺄 수 있을 때 최대한 빼려고 노력하며, 명예를 최대한 얻으려고 발버둥 치는 사람이었다. 남들이 그렇게 보지 않을지언정 나 스스로는 나를 그런 파렴치한으로 여겼다.

사회로 나온 뒤 나는 무언가가 변했다는 것을 느꼈다. 어릴 적부터 가지고 싶었던 것은 다 가지려고 했던 그 악한 마음을 대학에 들어가면서 숨기고 살았지만, 군대에서 다시 발견하게 된 것이다. 나이를 먹을수록 더 완벽해지고 온전해지는 것이 아니라 오히려 나에 대한 실망감만 더 발견했을 뿐이다. 그렇게 전역 후 함께 지냈던 동기들과 미국 여행을 떠나게 되었다.

3. 미국 여행 이야기

군대 제대 전까지 나는 해외여행을 한 번도 가보지 못했다. 그러다 군대에서 만난 동기이자 동생인 친구와 선임이자 친구인 친구, 이렇게 셋이 해외에 관한 이야기를 나누면서 미국 여행에 대한 꿈을 키웠다. 동생이었던 그 친구가 어릴 적 했던 해외 거주 경험으로 인하여 우리는 여행 계획을 무리 없이 순탄하게 진행할 수 있었다. 이 과정에서도 나는 아쉬운 점이 계획을 짜는 데 있어서 자꾸 내 안의 욕심, 즉 내가 하고자 하면 꼭 해야 하는 그 욕구를 떨쳐내지 못했다는 것이다. 그래서 셋이 가는 여행임에도 불구하고 내 욕심이 담긴 코스들이 자꾸 추가되었다. 나도 모르게 자꾸 요구하게 되는 것이다. 미국은 쉽게 갈 수 없는 곳이니까 여기는 가보아야 해라고 설득하면서 다른 사람의 의견을 묻지도 않았다. 만약 둘 중 하나라도 여행의 가치관이 쉼과 힐링이었다고 한다면 내가 주장했던 빡빡한 그 일정은 그에게 스트레스로 여겨졌을 것이다. 그런데도 다른 두 사람은 나를 존중해주었고, 우리의 여행 계획은 그렇게 빡빡하게 계획되었다.

여행이 시작되고, 도착하자마자 곤경에 빠지는 상황도 맞이했다. JFK공항에서 선임이었던 그 친구와 둘이 먼저 뉴욕을 돌아다니기로 계획했다. 우리는 서로 다른 비행기를 타고 공항에서 만나기로 했는데, 같이 가기로 했던 친구가 도착 시간이 지나도 연락도 없고, 올 기미가 보이지 않는 것이다. 2시간이 지났을까 다행히 그 친구에게 연락이 왔는데, 알고 보니 비행기가 오랫동안 연착이 되었다. 다행히 늦은 시간 친구를 만나고 계획에 차질이 생길 뻔해서 화가 날 뻔했지만, 여행의 즐거움을 망칠 수 없어 웃는 얼굴로 길을 나섰다. 하지만 공항을 나서자마자 우리는 어떤 백인 할아버지를 통해 납치당할 뻔했었고, 그 길로 미국이라는 곳이 정말 예측할 수 없는 곳이라는 사실을 몸소 깨달았다.

뉴욕은 정말 환상적인 곳이었고, 하루하루가 너무 아쉬울 만큼 볼거리가 많았다. 뉴욕에서 일주일을 보냈는데, 그중 막바지에 다다른 날이다. 같이 뉴욕에서 시간을 보냈던 선임 친구가 본인이 아는 친한 친구가 있다고 해서 함께 식사를 나누었다. 그 친구는 여자였는데, 당시 나는 여자친구와 헤어진 지 얼마 되지 않았던 터라 그 당시 상황이 너무나도 짜인 각본 같았다. 뉴욕이라는 분위기에 압도되었고, 하필 같이 갔던 선임 친구는 여자친구가 있어서 나는 그날 만났던 친구의 친구에게 집착하듯이 연락했다. 너무나도 추한 이야기지만, 가지고 싶었던 것을 가졌던 나였기에 이런 상황에서도 그렇게 될 것이라 기대했다. 하지만 보기 좋게 거리두기를 당했고 나의 마음은 더욱 공허해져 갔다. 군대라는 환경에서 벗어나자마자 또다시 미국이라는 새로운 환경을 맞이한 나는 더욱 정신을 못 차리게 되었다. 마음은 더 좁아졌고, 여유는 없었다.

물론 돌이켜보면 미국 여행은 나의 세계관을 확장해주고, 시각도 넓혀주고, 함께 갔던 친구들과 잊지 못할 무언가를 남긴 것은 맞다. 그러나 그 과정 중에서 나의 마음이 얼마나 좁아졌었는지, 여유가 부족했는지를 알기에 아쉬운 마음이다.

하루는 이제 동기였던 동생과 선임이었던 친구, 이렇게 셋이 동기였던 동생이 과거 홈스테이를 했었던 집을 방문했다. 우리는 그곳에서 3박 4일을 보내기로 했는데, 집주인은 시리얼 판매 회사인 켈로그 사장님으로 살면서 얼굴 한 번 볼까 말까 한 사람이었다. 집도 마치 저택 같은 곳이어서 우리가 돈을 주고 빌렸다면, 한 달의 여행은커녕 일주일도 못살고 돌아왔을 것이다. 그런 곳에서 감사하게도 자리를 내주어서 좋은 시간을 보낸 것은 잊지 못할 추억이 맞다. 그러나 그런 환경이 나에게 독이 되었다는 것도 사실이다. 그곳은 나의 비고 빈 마음을 채우기 위해 딱 좋은 식삿거리였다. 내 것도 아닌데, 마치 내 것인 양 누렸고, 영원할 것처럼 행동했다. 뒷마당에 있는 호수에서 제트스키를 탔는데, 그런 인생을 간접경험하고 나니 이것이 나의 것이 되어야 한다는 생각이 나를 지배했다. 평소에 느끼지 못했던 내 안의 아집과 욕심이 눈에 띄게 보이면서도 그것을 죽이려고 생각하지 못했다. 오히려 더욱 그 생각에 잡혀, 어떻게 하면 잘나 보일 수 있을지, 어떻게 하면 더 빛나 보일 수 있을지를 고민했다.

그 저택에서의 마지막 날 밤에 그곳 가족들과 우리 셋이 함께 뒷마당의 온천탕에서 온천을 했는데, 대략 한 시간 정도 이야기를 나누었다. 한 시간이라는 시간 동안 몸이 익을 뻔한 건 둘째치고, 그 외국인들과 영어로 대화하는 것에 있어서 나는 부족하지 않아라는 오만한 마음이 더 큰 문제였다. 한 시간 동안의 대화 속에서 내가 고작 알아들을 수 있었던 것은 나를 지칭한 단어인 '찰리'뿐이었다. 그러나 있어 보이고 싶고, 잘나 보이고 싶었던 마음에 나는 셋이 모여 있을 때 얼마나 알아들었냐는 우리들의 대화에서 "거의 다"라는 말을 던져냈다. 아무도 믿지 못할 거짓말을 한 것이다. 이렇게 거짓말을 하고 돌아보니 차라리 못 알아들었다고 솔직히 이야기했다면 나는 마음이라도 편했을 것이다. 그러나 그런 찬란한 환경 속에서 나도 그 가운데 위치하고자 했던 욕심이 거짓말로 덮이고 나니 '나'라는 존재는 허상만 남게 된 것이다. 있는 그대로 표현하고, 밝히는 게 정말 어려운 일이라는 것을 다시금 느꼈다. 그러면서 자연스레, 자신을 낮추는 게 정말로 어려운 일이고, 실제로 그렇게 드러내지 않고 겸손을 유지하면서 사는 사람들을 대단히 여기게 되었다.

미국 여행은 나에게 많은 것들을 가르쳐주었다. 짧다면 짧은 한 달이지만 한 달 동안 나와 다른 이들과 함께 합숙하면서 어떤 욕심들을 내려놓아야 하는지, 다른 이들을 배려한다는 것이 어떤 의미인지를 배웠다. 그러면서도 중요한 것은 대단히 화려하고 빛나는 생활들이 나의 공허한 마음을 도저히 채울 수 없다는 것을 알았다는 것이다. 누군가는 가지고 싶은 것들을 얻음으로써 마음을 채우려고 하다가 절대 채워지지 않는구나 깨닫지만, 나는 가지고 싶은 것들을 가지지 못함으로써 마음을 채울 수 없다는 사실을 깨달았다. 미국 여행이 주는 기쁨은 컸지만 지나고 보면 당시만큼의 감동이 오지는 않는다. 왜냐하면 지나갔기 때문이다. 미국에 있으면서 느꼈던 희로애락이 지금 나의 이 생각이 정립되는 데에 큰 비중을 차지하는 것은 맞다. 하지만 딱 거기까지만 의의가 있다. 다음으로 여행에서 돌아와 다시 사회 구성원으로서 지냈던 이야기를 나누어 본다.

4. 사회생활 이야기

나는 다양하게 많은 일을 시도했다. 학교에 다니면서 짧게 공장에서 일해본 적도 있고, 엑스트라 아르바이트도 해보았고, 뷔페에서 일도 해보았다. 혼자 다니면서 사람들에게 동의서를 받으러 아파트 몇백 동을 다닌 적도 있고, 홀 서빙 같은 것도 해보았다. 물론 나에게 있어서 가장 중요한 역할은 사역이다. 담임목사님의 배려로 감사하게 사역과 아르바이트를 동시에 할 수 있었다. 그래서 이렇게 다양한 업종에서 근무를 할 수 있었다.

그중에서도 나에게 가장 큰 영향을 주었던 직장이 바로 '맥도날드'다. 맥도날드는 신학대학원을 야간으로 옮긴 후에 시작하게 되었다. 신학대학원의 야간 운영 시스템의 도움을 받아 낮에는 일하고 저녁에는 공부하는 삶을 살았다. 그 와중에 코로나가 터져서 그마저도 사이버 수강으로 자택에서 학습하게 되었다. 덕분에 사역과 맥도날드 일에 더 집중할 수 있게 되었다. 사역 이야기는 둘째로 하고, 먼저 맥도날드에서 배운 것이 참 많다. 사실은 처음부터 맥도날드에 들어가고 싶었던 것은 아니다. 사람들의 선입견도 있고, 무엇보다 일이 고되다는 세간의 평가가 있었기 때문이다. 결론부터 말하면 맥도날드는 일이 힘든 것이 맞다. 지금까지 했던 어떤 일보다 가장 고되다. 아니 찌든다는 표현이 더 알맞겠다. 하지만 그곳에서 3년이라는 시간을 보내게 된 계기는 여러 가지가 있겠지마는, 그중 제일은 사람 덕분이라 할 수 있다. 같은 처지와 환경에 놓인 사람들과의 공감대 덕분에 오랫동안 그곳에서 일을 할 수 있었던 것 같다.

맥도날드는 손님이 정말로 많이 온다. 그리고 그 손님 중 어떤 사람들은 직원들을 아랫사람으로 여기는 것 같다. 그런 손님들을 악의적 소비자라고 표현하는데, 속된 말로 진상이라고 한다. 그런 진상 손님 중 한 분은 햄버거에서 이물질이 나왔다고 해서 살펴보았더니 전혀 문제가 없었는데도 불구하고 경찰까지 대동하며 대응했다. 이 사태를 보며 그 사람의 마음 상태를 상상해보니, 너무나도 어둡고 마치 지옥 같겠다 싶었다. 어쩌면 정말로 이물질이 나왔다고 해도 웃으며 직원과 대화를 할 수 있음에도 불구하고, 있지도 않은 사실을 진실로 여기고 거기에 목매달고 경찰까지 부르는 사태로 만드니 끝장을 보고 싶어 하는구나 싶었다. 무엇인지 모르지만, 불만이 많이 쌓여 있었을 테고 그것이 그날 그 사태로 터진 것일 뿐이었다. 이 사람의 마음은 여유가 없었고, 자신에게 돌아올 피해보다 자신이 받았다고 착각하는 피해에 더 집중한 듯 보였다. 결과적으로 그 사람의 행동 덕분에 매장은 손님을 받지 못하는 피해를 받았고, 그 사람 역시 달성하고자 하는 목적을 이루지 못하는, 모두에게 손실을 주는 결과를 맞이했다. 이 사람뿐만 아니라 대부분의 진상 손님은 대개 인내심이 부족하고, 자신이 받은 피해가 마치 상대방이 죽어야만 끝이 나는 것처럼 여긴다.

보통 여기서 많은 사람은 진상 손님을 욕하거나, 무시해버리겠지만 나는 오히려 긍휼의 마음이 생겼다. 가지고 싶었던 그것을 가지지 못하는, 그래서 화가 나는, 욱하는 그런 마음을 나는 잘 알기 때문이다. 그래서 그런 자기 욕심에 갇힌 사람들을 불쌍히 볼 수 있는 눈이 생긴 것 같다. 가지고 싶었던 것을 가지지 못할 때 오는 것은 화도 화지만, 자괴감이 제일 크다. 그 자괴감은 자신을 파괴한다. 후회로 돌아온다. 내가 옳다고 생각해서 하는 행동이지만 한

발자국만 뒤로 떨어져 그 상황을 객관적으로 보면 내가 한 행동이 옳지 못하고, 오히려 나 자신을 어둠 속에 가두는 행위라는 것을 알게 된다. 지난날의 나의 경험들이 나에게 알려주듯이 욕심을 오히려 화를 불렀다. 가지고 싶은 것을 가지려고 하면 할수록 비참해지는 것은 나일 테고, 오히려 신앙적으로든, 정신적으로든 피폐함만을 가져오게 만든다. 그래서 이런 상황을 맞이할 것을 알기에 그런 진상 손님들에게 오히려 좋은 말로 상대할 수 있었던 것이고, 그들을 불쌍히 여기는 마음이 생겼다. 그 사람들도 그런 마음을 가지고 싶어서 가진 것이 아니고, 그것이 사회든, 환경이든, 이 세상은 죄악 가운데 놓여있으므로, 그렇게 되어버린 것이다. 아무리 선하고 착하다고 하는 사람도 지칠 때까지 공격하면 언젠가는 터지게 된다. 말 그대로 죽어야 끝나는 싸움이다.

진상 손님 말고도, 맥도날드 안에서 작업을 했을 때도 마찬가지였다. 손님을 상대하는 것도 힘들지만, 그 더운 공간에서 기름에 찌들어가며, 밀려오는 햄버거를 만들어야 하는 그 상황은 겪어보지 못하면 알 수 없을 정도로 고통스럽다. 말 그대로 햄버거를 만드는 기계가 된 것 같았다. 아무리 마음을 비우고 비운다 해도 육체는 살아있으므로, 받는 고통을 아예 느끼지 못할 수는 없었다. 그렇게 짜증과 화, 분노가 올라올 때마다 생각했던 것은 '십자가 찬양'이다. '십자가, 십자가 내가 처음 볼 때 나의 맘에 큰 고통 사라져'. 이 찬양으로 버틴 것이 한두 번이 아니다.

육체가 한계에 부딪힐 때면 나도 모르게 정신과 마음이 약해져서 악한 생각들이 들어오게 된다. 이건 이 세상에 존재하는 모든 사람이 공감할만한 문제일 테다. 그럴 때 이겨낼 수 있는 것은, 세상의 방법이 아니다. 세상은 돈으로 그 피해를 이겨내라고 외치고, 때로는 주변인들의 위로와 공감으로 이겨내라고 하고, 어쩔 땐 노동요를 들으며 정신을 다른 곳으로 돌리게 만든다. 그러나 이런 것들로 육체적인, 그리고 정신적인 고통을 이겨내기에는 한계가 있다. 계속해서 악한 마음이 들어오기 때문이다. 정답은 한 가지밖에 없다. 죽어야 한다.

나는 사역지를 옮겨 본 적이 없다. 어떤 사람들은 한 곳에서 오래 있으면 다양한 경험을 하지 못하고, 우물 안 개구리가 되기 쉬우니 옮기는 것을 제안하기도 한다. 그러나 내 생각은 다르다. 일단 주변에서 사역하는 친구들의 이야기를 들어보았을 때, 대체로 시무하는 교회에서 받은 은혜와 기쁨보다는 폐단을 주로 이야기한다. 그리고 놀라운 사실은, 그 좋지 못한 점들이 다 비슷하다는 것이다. 어떤 목사님은 부교역자를 돈을 주고 부리는 부하로 생각해서, 자신이 해야 하는 목회와 전혀 관련 없는 일들을 맡기기도 하고, 어떤 목사님은 교단과 어긋나는 설교를 하기도 하고, 어떤 목사님은 부교역자 뿐 아니라, 성도들까지도 배려하지 못하는 모습을 보여주기도 했다. 마치 자신이 왕이 된 듯이 말이다.

나는 한 곳에서 사역하고 있지만, 처음부터 들었던 생각은 내가 하는 것에 비해 너무나도 많은 것들을 받고 있다는 것이다. 사례뿐 아니라, 시간적인 문제도 그렇고, 담임 목사님의 배려 또한 그렇다. 이렇게까지 배려받는 부교역자가 얼마나 있을지 모르겠다. 그래서 더 배울 것이 많다. 그리고 떠나기가 싫은 마음이 자연스레 찾아온다. 지금의 사역지에서 받은 배려와 은혜들로 인하여 나의 세계관이 바뀌게 되었고, 또 가지고 싶었던 것을 가졌어야만 했던 그 마음도 어떻게 해결을 받아야 하는지 알게 되었다. 그것 방법이 바로 죽어야 하는 것이다.

죽어야 한다고 말하면 많은 사람들이 놀란다. 평소에 잘 쓰지 않는 단어이기도 하고, 죽는다는 표현이 마치 자살을 말하는 것 같기 때문일 것이다. 하지만 '죽어야 한다'는 표현은 그런 육체적인 죽음을 뜻하는 것이 아니다. 이 죽음은 마치 육체가 죽어서 아무 생각이 없는 것처럼 나의 마음과 생각이 죽어야 한다는 것을 뜻한다. 그리고 중요한 것은 그냥 죽는 게 아니라 십자가와 함께 죽는다는 것이 핵심이다. 지금의 사역지에서 배운 것이 바로 십자가 죽음이다. 십자가 죽음이야말로 지금까지 나를 괴롭게 했던 내 마음의 욕심을 없어지게 만들고, 나를 한 없이 겸손하게 만드는 역할을 했다. 이것을 경험해보아야 한다. 작은 욕심일지라도 굴리고 굴려서 큰 눈덩이처럼 커지게 될 수 있다. 하지만 이 작은 욕심조차도 십자가와 함께 죽는다면, 더 이상 나는 바라는 것이 없고, 이 세상을 온전하게, 그리고 뚜렷하게 바라볼 수 있게 된다. 세상의 어두운 빛에 갇혀있는 사람들이 보여 지게 되고, 그들이 어두운 바다 가운데서 허둥대는 것이 보이게 된다. 이 욕심을 죽이게 되면, 진짜로 죽는 것처럼 생각하겠지만, 실제론 욕심이 죽는다고 내 삶이 무너지고, 내가 불행해지는 것이 아니라 오히려 하나님의 마음이 내 안을 차지하게 된다.

하나님이 사람을 창조하셨을 땐 사람의 마음을 하나님이 들어오실 만큼의 크기로 지으셨다. 그래서 하나님이 사람 마음에 딱 들어차 있었고, 그 상태 그대로 온전한 상태였을 것이다. 그러나 죄가 사람을 흔들었고, 사람의 마음에서 하나님이 떠나자, 그만한 크기를 도저히 채울 수가 없게 된 것이다. 그것이 공허이고 혼돈이다. 채워도, 채워도 끝이 없는 것이 사람 마음이다. 이것을 알게 되자마자 내 마음에 자유를 얻은 것이다. 마음이 넉넉해지려면 비워야 채워진다. 이 비움은 십자가와 함께 죽는 것 밖에는 답이 없다.

성경의 갈라디아서 2장 20절 말씀에 따르면 "내가 그리스도와 함께 십자가에 못 박혔나니 그런즉 이제는 내가 사는 것이 아니요 오직 내 안에 그리스도께서 사시는 것이라 이제 내가 육체 가운데 사는 것은 나를 사랑하사 나를 위하여 자기 자신을 버리신 하나님의 아들을 믿는 믿음 안에서 사는 것이라"라고 말한다. 내 마음을 채우려던 그 욕심을 그리스도와 함께 십자가에 못 박으면 그 이후로부터 내가 사는 것이 아니고, 내 안에 드디어 그리스도, 하나님이 사시게 된다. 하나님이 사라졌던 내 마음에 하나님이 다시 오셨기 때문에 채워진 것이다. 이것이 내가 말하고 싶었던 넉넉한 마음을 가지는 방법이다.

결론. 마음 다스리기

어린 시절부터 군대, 여행, 사회생활의 이야기까지를 통하여 나의 아집이 가득한 마음을 어떻게 다른 시각으로 바꿀 수 있었는지를 나누어보았다. 지극히 개인적인 경험이기에 모든 사람이 공감할 수 있다고 생각하지는 않는다. 그러나 자신의 마음이 문제가 있다고 여기고, 조급하고 성급한 마음을 다잡고 싶은 생각이 있는 사람이라면 위의 이야기가 어느 정도 도움이 되었으리라 믿는다. 종교를 떠나 이 세상은 불공평하다고 여기는 사람이 많을 것이다. 각자마다 세상의 불합리에 대해 자신만의 정답을 내놓는다. 하지만 많은 철학자가 내놓은 진리나, 과학이 내놓는 답은 당시엔 가장 근접한 답안일지는 몰라도 새로운 이론에 의해 변화한다. 나는 불변하지 않는 진리에 관하여 이야기한다. 세상은 하나님께서 창조하셨지만, 공중의 권세를 잡은 이들로 어둠이 가득해졌다. 우리는 그 어둠이 가득한 세상 속에서 빛을 내려고 살아간다. 하지만 그 빛조차도 진짜 빛이 아니었다. 진짜 빛은 우리가 십자가로 가야만 경험할 수 있는 것이었다. 내가 그리스도와 함께 십자가에서 마음이 죽어야만 새롭게 이 세상을 살아갈 수 있는 것이었다. 내가 아니라 그리스도로 말이다.

살면서 얻는 수많은 상처들을 피해 갈 수는 없다. 상처란 이미 입었기 때문에 상처이기 때문이다. 그러나 그 상처를 상처가 아니게 할 수는 있다. 상처받지 않을 마음을 만들면 된다. 무언가 기대를 하게 되면 상처를 입는다. 하지만 처음부터 세상에 기대하지 않는다면 어떻게 될까? 세상은 우리가 기대한 것에 부응하지 않는다. 기대한 대로 결과물을 내어주는 듯하지만 그건 빛이 아니라 그림자일 뿐이다. 우리가 살아가는 것이 내가 원하고 기대하는 대로 살아가는 삶이 아니라, 만약 창조주가 사람을 지을 때의 원리대로 살아간다면 우리는 이 어둠이 가득한 세상에서 진짜 빛으로 살아갈 수 있을 것이다. 그것이 내 뜻과 바람대로 사는 것이 아닌, 그리스도 예수로 살아가는 길이다. 그리고 그 길은 십자가로 나아가 예수님과 함께 못 박히는 삶이다. 진정한 어둠을 경험하고 진짜 참 빛을 경험한다면 이제는 세상을 대하는 태도가 변화될 것이고, 중요하지 않고 영원하지 않은 것들에 기대어 살아가지 않게 될 것이다. 그리하면 자연스레 넉넉하고 여유 있는 마음도 따라온다.

세상을 보는 관점은 한순간에 변하지 않는다. 물론 사도바울처럼 한순간의 경험으로 완전히 뒤 바뀌는 예도 있기는 하지만 보통은 나처럼 많은 시간과 경험을 통해 바뀌고 정립될 것이다. 중요한 것은 어떤 방식과 경험으로 가느냐보다 목적지라고 생각한다. 동굴 안에서 새로운 정답을 찾으려 하지 말고 동굴 밖으로 나가길 바란다. 그래서 해를 맞이하고, 자연을 경험하고, 삶의 진정한 목적을 찾길 바란다. 나의 바람은 빛을 경험한 사람들과 함께 그들의 경험을 나누어 듣는 것이다.

김진호 ‘기독교대학행정전문가’

◑ 학력

백석대학교 경영행정학과 박사과정 재학

횃불트리니티 신학대학원 M.Div 목회학 석사 졸업

사이버한국외대 한국어학부, 영어학부 학사 졸업

홍익대학교 컴퓨터공학과 학사 졸업

◑ 경력

現 신한대학교 교목팀장(교양 채플 강의) / 現 예장백석교단 목사

前 내촌교회 부목사 / 前 언약의 교회 부목사 / 前 조이어스교회 부목사

◑ 저서

K-Christianity _ Driving South Korea forward

약자를 세우는 비전스쿨 _ 다윗의 승리비결

삶의 길을 찾는 인생 네비게이터 _ 가치, 기독교 교육의 미래

PPT로 함께 보는 한영 신구약 징검다리(중간사) 공저

◑ 이메일 / SNS

이메일: holyagape@shinhan.ac.kr

블로그: https://blog.naver.com/holyagape

페이스북: https://www.facebook.com/Kim.Jin.Ho.Jono

하나님의 나라를 세우는 기독교 행정

목차

하나님의 나라를 세우는 기독교 행정

서론. 리더로 성장할 이에게

"오래 일하고 싶으면 빚을 져라."

이런 농담이 있을 정도로, 많은 사람이 회사를 그만두고 싶은 마음을 느낀다. 회사를 그만두고 싶은 가장 큰 이유는 무엇일까?

회사 내에서 인정받지 못하고 연봉이 적은 이유도 회사를 그만두고 싶은 큰 이유지만 이에 못지않게 중요한 이유는 나를 힘들게 하는 사람과 함께 일하는 게 힘들기 때문이다. 행정은 효과적으로 사업을 진행하고 주어진 상황에서 최상의 결과를 위한 최고의 방법을 제시한다. 많은 회사나 조직이 팀을 구성하여 운영한다. 최고의 결과를 끌어내려는 방법에서 나아가 예수님의 사랑 안에서 공동체가 되는 행정을 이루는 것이 백석대학교 경영행정학과에서 꿈꾸는 영의 행정이다.

이 책은 팀장으로서 팀원과 협업하는 사람들의 역량을 이끌어내기 위한 경험과 노하우를 소개하고 있다. 초보 팀장들이 역량을 끌어내는 자세와 태도에 대한 기독교 관점에서의 성찰을 기록했다. 이 책을 읽는 리더들이 인정받지 못하는 팀원들과 함께 드림팀을 만들어 내는 팀장으로 성장하기를 기대한다.

2011년부터 신한대학교 교목실에서 들어와, 2017년에 교목팀장이 된 지도 7년 차가 되었다. 대학교에서 예배와 기독교 교육을 만들고 섬기는 교목 역할만이 아닌 팀장으로 교목실 행정을 하며 기획과 재무, 사업, 행사 등 다양한 일을 하며 행정에 대해 깨달은 점들이 나누려 한다.

1. 사업을 완성하는 행정

1) 현실은 대부분 열악하다.

"팀장님 시간 되시면 잠깐 만나서 의논할 수 있을까요?"
타 부서에서 의논이나 회의를 요청받으면 대부분 귀찮게 생각한다. 전화를 잘 받지 않는 직원들도 있다. 많은 교직원이 자신에게 맡겨진 업무에만 집중하려는 성향이 있다. 교직원은 공무원과 비슷한 면이 많은데, 어떤 사업을 열심히 해서 성과를 내도 그것이 인사에 바로 반영되는 일이 드물다. 특히 그 사업이 내 일이 아니라 다른 사람의 일을 돕는 것이면 100% 성과에 반영되지 않는다고 생각해도 좋다. 서류상에 남지 않는 일, 드러나지 않는 일에 에너지가 소모되는 것을 좋아할 사람은 없을 것이다. 더구나 열심히 협력하고 아무런 보상이 없는 일이 반복된다면 더 그렇다. 한두 번 열심히 참여할 수 있지만, 보상받지 않는 일에는 열정을 유지하기 어렵다. 연초에 세운 사업계획에 포함되지 않고 갑자기 진행하는 행사는 다른 예정된 사업보다 실행하는 게 더 어렵다. 예산이 없는 상태에서 예산을 협조받아 실행해야 할 때는 예산뿐만 아니라 행사 전반에서 타 부서의 협조를 받는 게 쉽지 않기 때문이다.

큰 행사를 기획하고 진행해 본 경험이 없는 팀장에게 협조 요청이 왔다. 3주 뒤에 이사장 이취임식을 해야 하는데 무엇을 어떻게 준비하고 점검해야 할지 도와달라는 요청이었다. 많은 기독교 미션스쿨 행사에는 예배의 요소가 들어간다. 기도와 찬양, 설교, 합창대 특송, 축도…. 행사 전체가 예배 형식은 아니지만, 행사와 예배가 혼합된 형태로 진행되는 경우가 많다. 이사장 이취임식에도 설교와 기도, 찬양이 들어가게 되었다. 어떤 교회에서 합창대가 올 수 있는지 어떤 목사님이 설교할지, 축도할지를 확인해야 했다.

총장님이 전 교직원이 참여하기를 바라는 의지가 강해서 이사장 이취임식은 간단히 할 수도 없었다. 장소 협조도 어렵지만, 음향, 조명, 영상 전부를 외주에 맡겨야 하는 상황이었다. 거기에 담당부서 팀장은 이런 행사 진행이 처음이어서 어떻게 사업을 준비하고 점검하며 진행해야 하는지를 잘 몰라서 어려울 것이 예상되었다.

팀장이 난감해할 것을 알고 있었기 때문에 친한 업체에 음향, 조명, 영상, 디자인을 저렴하게 해달라고 부탁하고 연결해주었다. 예산이 없어서 업체에서 제공하는 일에 비해 줄 수 있는 비용이 부족했다. 어느 정도 봉사에 가깝게 섬기게 되었기 때문에, 그 업체가 불편하지 않도록 내가 더 열심히 해야 한다는 걸 알고 있었다.

2) 100%를 끌어내려면 간식을 챙겨라!

요청하는 서비스에 대해 충분한 비용을 준다면 몸이 고생할 필요가 없다. 그렇지 않다면 참여하는 업체나 팀들이 불편하지 않고 불쾌하지 않도록 챙기는 사람이 있어야 한다.

반드시 챙겨야 하는 건 시작과 끝이다. 행사장에 들어올 때와 행사가 끝나고 나갈 때 행사 주관자가 각 업체나 팀에게 필요한 것들을 미리 챙겨놓거나, 준비되지 않을 것이라도 요청하면 바로 준비할 수 있도록 함께 있는 게 좋다. 특히 장비를 운반하는 동선을 점검하고 안내해주지 않으면 시작할 때부터 불만이 생긴다. 탑차가 장비를 내리고 운반하는 데 최소한의 동선으로 안내하고 편의를 봐주는 건 기본이다.

나는 예산이 없으면, 내 돈으로라도 간단한 음료와 간식을 준비한다. 식사에 비해 간식은 비용적으로 부담이 덜하지만, 효과가 크다. 음향이나 조명, 영상 등을 세팅하는 팀은 준비할 때 정신이 없어서 바로 먹지는 못한다. 그러나 그들을 배려해서 준비했다는 것을 보여주는 것만으로도 기분 좋게 일을 시작하고 마칠 수 있다. 행사 순서에 찬양팀이나 가수가 있다면 반드시 생수를 챙겨야 한다. 모든 문제는 작은 것에서 균열이 시작된다.

이사장 이취임식은 내가 담당하는 행사가 아니기에 아침에 일찍 올 필요가 없지만, 장비를 옮기고 세팅할 때부터 마지막 정리할 때까지 가장 먼저 나와 현장에서 함께 옮기고 도우며 뛰어다녔다. 업체 관점에서는, 도와주지 않아도 되는 행사 주관자가 힘든 일을 도와주면 배려받고 있다는 것을 느낄 수 있기에 불만이 줄어든다. 팀장이 행사 무대 세팅에 지식이 없어도 옆에 있어서 문제가 있을 때 물어볼 수 있는 것만으로도 행사에 도움을 줄 수 있다.

3) 창의적인 행정 마인드, 상상력

누구나 처음은 있다. 내가 경험이 없을 때는 더 열심히 준비하고 점검해야 한다. 행사 기획은 상상을 실현하는 준비다. 경험이 있다면 상상이 더 구체적일 수 있지만, 경험이 없어도 상상하며 준비하면 발전할 수 있다.

행사 기획은 시간의 흐름을 체크하고, 흐름에 맞춰 필요한 장소를 준비하고 행사의 각 순서를 담당하는 팀이나 사람을 생각하면 필요한 것들을 놓치지 않고 준비할 수 있다. 경험이 없다면 사전 리허설을 반드시 하는 게 좋다. 현장 리허설은 무엇보다 중요하다. 예산 등의 이유로 행사를 전날 리허설이 어렵다면 사전 분비를 더 철저히 해야 한다. 행사를 기획하는 팀장만이라도 시간에 흐름에 따라 현장에서 각 프로그램을 진행하기 위해 동선대로 이동하며 점검해야 한다. 이런 리허설만 해도 실수를 많이 줄일 수 있다.

4) 전문가의 조건!

누구나 실수한다. 놓치고 실수해서 정신을 차리지 못하면 초보지만, 놓치고 실수해도 보완하면 전문가가 된다. 처음이라면 놓친 부분이 많을 수밖에 없다.

설교 목사님과 축도 목사님은 의전 대상자인데 쉴 장소도 마실 차도 준비가 되어있지 않았다. 합창단을 안내할 사람도 없었고 그들이 먹을 점심은 준비했는데 치울 담당자와 음식물 분리수거 준비가 없었다. 음향과 조명, 영상 업체가 장비를 세팅할 때 안내할 담당자도 없었다. 준비가 부족했다.

대학교는 9시부터 출근이지만 무대 세팅은 7시 반에 시작되었다. 그러면 준비할 사람이 7시에는 학교에 나와야 한다. 외주 업체에 충분한 비용을 주지 않는다면, 고마워하고 배려하려고 노력한다는 메시지를 느끼게 해주는 게 앞으로 함께 하는 데 도움이 된다. 앞서 말한 것처럼 기분 좋게 시작할 수 있도록 간단한 간식과 시원한 물이라도 준비해주는 게 좋다. 업체보다 먼저 나와 필요한 것들을 준비하고 장비 운반을 도왔다.

기획자가 외부 업체 장비 세팅을 도와줄 필요는 없다. 오히려 방해다. 사전 준비를 도와주면 다른 걸 점검할 시간이다. 사전에 점검했던 행사장 자체 조명이 문제가 있어서 확인할 수 있는 시설 관리자를 불러서 조율했다. 행사 시간 내내 시설 관리자가 함께 있을 수 없는 상황이었기 때문에 팀원에게 간단한 조작을 배우게 했다. 이런 경우 가능하다면 최대한 변동이 생기지 않도록 조율하는 게 좋다. 프로그램별로 행사장 조명을 세세하게 조작하면 실수가 생긴다. 준비하는 사람이 처음 배웠다는 걸 잊지 말아야 한다. 무대에서 영상을 송출할 때만 일부 조명을 끄고 켜는 정도로만 조작하게 했다. 외부 업체에서 세세한 조명을 조작할 것이기에 간단한 전환만으로도 프로그램을 진행하는 데 문제가 없었다. 다른 문제도 생겼다. 프로젝터가 너무 오래된 것이어서, RGB to HDMI 전환 컨버터를 케이블에 연결했는데도 영상이 깨졌다. 이를 도와줄 수 있는 담당 부서 직원을 부르고 선과 컨버터를 바꾸도록 돕게 했다.

5) 놓친 걸 해결하는 건 두 배로 힘들다!

나는 담당 부서의 기획자가 아니기 때문에 사전에 나서서 지휘할 수 없었다. 담당 부서의 팀장은 미안한 마음에 모든 것을 다 도와달라고 요청하지 못했다. 미안하더라도 도움받아야 할 부분은 끈질기게 확인하고 준비해야 한다. 미안한 마음에 놓쳐서 문제가 생긴 뒤에 해결하는 건 두 배 이상 힘들기 때문이다.

당일 상황을 다시 확인했다. 의전을 준비해야 하는 대상을 생각하며 행사 전에 편하게 대기할 수 있는 장소가 몇 개 필요한지를 생각하고 각 장소에 가벼운 차를 준비했다. 전임 이사장님과 신임 이사장님, 총장님이 쉴 장소를 마련하고, 설교와 축도를 담당하는 목사님들이 쉴 장소를 따로 마련하고 각각 의전 담당자를 세우고 마실 차를 준비하도록 지시했다. 이렇게 행사장과 의전 장소 준비를 마쳤다.

조율이 끝나자마자 외부 교회에서 합창단원들이 행사장으로 들어왔다. 무대가 준비되고 리허설을 할 수 있기 전까지 연습하고 식사할 장소는 준비되어 있었다. 그런데 합창단원에게 대기하며 연습하고 식사할 장소 안내가 되어있지 않았다. 합창단원은 교회에서 주관하는 예배도 아닌데 참여해 주는 고마운 분들이다. 개인별로 사례를 주는 것도 아니었기에, 불편한 게 생기지 않도록 더 잘 챙겨야 했다. 지휘자와 성가대장에게 감사 인사를 드리고, 장소로 안내했다.

피아노는 조율되어 있지 않았고 식사한 뒤에 음식물 쓰레기를 분리해서 버릴 준비도 되어있지 않았다. 지휘자와 반주자에게 특별히 죄송하다는 말씀을 드리고 음식물 쓰레기를 분리할 수 있도록 큰 쓰레기통에 비닐을 두 장 겹쳐서 준비했다. 준비하지 않으면 몇 배는 어려워지는 게 음식물 쓰레기 처리다. 도시락을 운반한 상자에 도시락 용기를 분리하게 하고, 음식물 쓰레기통을 준비하지 않으면 행사가 끝나 지친 상황에서 소수가 어지러운 음식물 쓰레기를 한 번만 정리해 보면, 다시는 준비하지 않는 실수를 하지 않을 것이라 확신한다.

2. 연합을 이루는 행정

1) 섬김의 리더십

사람들의 불만을 줄이는 효과적인 방법은 리더가 하지 않아도 된다고 생각하는 일을 하는 것이다. 교회에서 온 합창단을 상대하는 건 목사가 하는 게 좋다. 내가 교목팀장이라는 사실을 합창단원들이 알고 있었다. 내가 죄송하다고 거듭 고개를 숙여 사과하고 어떻게든 그들이 필요하다고 말하는 것을 준비하려고 뛰어다니는 모습을 보여주는 것만으로도 불만이 줄어들었다. 자신들의 식사를 챙기고 음식물 쓰레기와 도시락 용기를 버리는 일을 내가 하는 것만으로도 불만의 많은 부분을 줄일 수 있었다. 준비를 바치고 빨리 식사를 마치고 음식물 쓰레기와 분리된 쓰레기를 직접 치웠다.

누구나 3D 업무를 싫어한다. 리더가 3D 업무를 하는 모습을 보여주면 열 번 화낼 일을 한두 번으로 끝낼 수 있다. Difficult, Dirty, Dangerous. 이 중에서 고를 수 있다면 더러운(Dirty) 일을 추천한다. 40대 중반이 넘어서 어렵고 힘든 일이나 위험한 일을 하면 몸이 견딜 수 없다. 더러운 일은 나이가 들어도 할 수 있고 나이가 들수록 효과가 더 커진다. 리더가 힘들고 더럽고 어려운 일을 하면 다른 사람들은 열악한 상황에서도 상대적으로 더 열심히 자기 역량을 발휘할 수 있다.

인적, 물적 자원이 넘쳐난다면 이렇게까지 하지 않아도 된다. 일을 기획하고 지시하고 그 지시한 일들이 점검하지 않아도 실수 없이 준비될 만큼 능숙하고 꼼꼼한 팀원들이 있다면, 그리고 예산이 충분해서 참여하는 업체와 팀들에게 평균 이상으로 만족할 만큼 비용을 줄 수 있다면, 리더가 나서서 준비하고 힘들고 더러운 일을 하지 않아도 된다.

나는 충분한 조건에서 일을 진행한 적보다 부족한 상황에서 일을 진행한 경험이 더 많기에 열악한 상황에서 조금이라도 더 좋은 결과를 얻을 방법을 제안하는 것이다.

총괄자가 이런 태도로 일하면, 그 행사에 참여하는 사람들은 더 열심히 자기 역량을 발휘할 수 있다. 여기에서 한 가지 더 조언한다면, 이왕 할 것이라면 진심으로 감사하는 마음을 담아 섬겨 보라는 것이다. 억지로 하기 싫은 티를 내며 하면 그 효과가 완전히 사라질 수도 있다. 진심이 담긴 행동은 불가능을 가능하게 만든다.

2) 행정의 완성은 디테일

"당신 주변을 돌아보라. 움직일 수 없는 무자비한 곳으로 보일지도 모른다. 그러나 그렇지 않다. 적소를 찾아 조금만 힘을 실어주면 일순간에 바뀔 수 있다."[1)]

---

1) 말콤 글래드웰, *티핑 포인트*, 김영사, 2020.

행사나 사업이나 그 기획과 행정을 업그레이드하는 건 디테일에 있다. 많은 사람이 행사나 사업 전체를 기획하고 실행하는 행정에 있어서 중요한 것은 큰 부분에 있다고 생각한다. 물론 목적을 설정하여 동기를 부여하고 행사의 중요한 부분을 정하는 것은 중요한 일이다. 시간의 흐름대로 프로그램을 리허설하여 장소와 사람을 준비하는 것은 행사의 방향과 목적을 정한 뒤에 해야 할 일이고 바른 목적을 설정하지 못한 채 디테일을 챙긴다면, 이러한 노력에 대한 효과가 줄어드는 게 당연하다.

그러나 행사나 사업의 목적과 중요한 부분을 결정하는 게 중요하지만, 내 개인적인 경험으로는 오히려 일을 기획하고 진행하는 사람의 태도와 그 태도로 인해 드러나는 디테일이 행사나 사업의 결과를 좌우하는 경우가 많았다.

명품과 짝퉁의 차이는 전체적인 외관이 아니라, 잘 보이지 않는 곳에서까지 받쳐주는 작품의 디테일에 있다. 나는 일의 성패를 좌우하는 '티핑 포인트'를 많이 경험했다. 티핑 포인트는 갑자기 뒤집히는 점이란 뜻으로 때로는 엄청난 변화가 작은 일들에서 시작될 수 있고 대단히 급속하게 발생할 수 있다는 의미로 사용되는 개념이다.[2] 절대적으로 불가능할 것처럼 보이던 일이 의도하지 않은 작은 일로 성사되는 일이 비일비재하다.

'오병이어'는 작은 것, 디테일이 전체를 변화시키는 기적으로 이어지는 것을 보여주는 좋은 예다. 하나님을 믿는 자는 각자에게 주어진 상황에서 최선을 다하는 삶의 태도를 배운다. 우리 삶의 모든 것을 인도하시는 하나님을 신뢰한다면 최선을 다하고 결과를 하나님께 맡길 수 있다. 우리가 할 수 있는 최선은 티핑 포인트 정도밖

2) 네이버 지식백과 교양 영어사전.

에 되지 않는 작은 일일 때가 많다. '이게 무슨 도움이 되겠어?'에서 '할 수 있는 것을 하자!'로 태도를 바꾸면 얼마나 많은 일이 변화되는지 경험할 수 있을 것이다.

3. 지경을 넓히는 행정

1) 드림팀 만들기

많은 팀장이 더 좋은 팀원, 더 많은 팀원을 받으려 노력한다. 내가 생각하는 좋은 팀원이란 해당 부서에 주어지는 업무에 능숙하여 꼼꼼하게 일을 진행하며, 진행 상황을 필요할 때마다 보고하는 팀원이다. 한 마디로 일을 맡기면 결과가 나올 때까지 신경 쓰지 않고 안심할 수 있는 팀원이 좋은 팀원이다. 새로운 업무를 맡아도 최선을 다해 업무를 실행하고 다른 팀원과의 관계도 좋다면 금상첨화다.

그러나 현실에서 활용할 수 있는 인적 자원은 대부분 부족한 편이다. 수적으로도 부족하고 능숙한 팀원과 함께하지 못하는 경우가 많다. 나와 성향이 너무나 다른 팀원과 함께해야 할 때가 많고, 때로는 나를 적대하고 공격하는 동역자나 상관과 함께해야 할 때도 있다. 그런데 나를 힘들게 하는 이들과 함께할 때 리더의 지경이 넓어진다. 다른 팀장은 함께할 수 없는 팀원과 업무를 수행하는 팀장은 그 자체로 능력이 된다.

함께하는 게 힘든 사람들과 함께하는 과정에서 깨달은 사실이 있다. 나와 전혀 어울리지 않는 가치와 판단이 다른 사람과 함께할 때 예상치 못한 시너지 효과를 볼 수 있다는 것이다. 빨간 돌, 파란 돌, 색이 다른 돌멩이는 한 색깔로 합쳐지지 않는다. 그러나 각자의 색으로 모여있기만 해도 멀리서 보면 빨강이 낼 수 없고 파랑이 낼 수 없는 보라색이 보인다. 나와 성향이 같은 사람만 있으면 내가 할 수 없는 일은 내 팀도 하기 어렵다. 나와 다른 사람을 용납할 수 있을 때 일의 지경이 넓어질 수 있다.

2) 감정적인 팀원

감정적으로 기복이 큰 팀원과 함께 업무했던 적이 있었다. 감정적으로 기복이 심한 팀원에게 가장 필요한 것은 안정감이다. 이 안정감은 공감을 통해 만들어질 수 있다.

기분이 좋을 때는 업무 전체에 분위기 메이커가 되지만, 오해하여 다른 부서와 대립하거나 감정에 따라 일을 어렵게 만드는 경우가 있었다. 나는 목회자이기 때문에 다른 팀장에 비해 장점이 있다. 팀원을 하나님께서 내게 맡겨준 양이라고 생각하며 돌보는 태도가 목사이기에 생기는 장점이다. 그 팀원은 감정이 다운될 때 팀장인 내가 자기를 위해 기도하며 공감하고 에너지를 주며 문제가 생길 때 함께 해결해 가는 경험을 했다. 감정이 안정되는 시간이 늘어날수록 더 유능한 팀원이 되었고, 타 부서 팀장으로 승진하기 전까지 내 열렬한 지지자가 되어 주었다. 타인을 힘들게 할 에너지가 있다는 건 그 에너지를 올바른 목표로 인도하고 조율할 수 있다면 팀에 큰 도움이 될 수 있다는 의미이기도 하다.

3) 적대하는 동역자

여러 가지 이유로 적대감이 생길 수 있다. 그중에 하나는 정치적인 관점의 차이로 나를 적대했던 동역자와 함께한 경험이다. 정치적 입장에서 나는 비교적 중도에 속한다고 생각한다. 주로 양비론적인 관점으로 한국 정치의 양당을 모두 비판하는 편이다. 문제를 일으킨 게 드러난 상황에서, 그 사람이나 정당 전체가 아닌 문제에 대해서만 비판하려고 노력해 왔다. 그런데 중도라는 내 입장은 보수나 진보의 극단에 속한 입장에서는 각자 반대쪽 성향이 된다.

신한대학교 채플 강의에서 나는 한국 근현대사 위인들의 삶으로 학생들에게 가르친다. 한국 근현대사 기독교 위인들이 실천한 가치관과 희생을 가르치기에 내 강의는 상당 부분 진보의 주장에 더 가까운 편이다. 물론 진보 진영의 논리가 아닌 기독교 정신인 하나님의 뜻을 전한다고 자신 있게 말할 수 있다.

"내 모든 것을 다해 하나님을 사랑하고 이웃을 자신같이 사랑하라!"라는 가치관이 다양한 영역에서 실제로 그렇게 살았던 분들의 모습으로 드러나 있고 나는 이를 전한다. 그런데 공개적으로 보수를 적대했다고 강의 내용에 대해 지적받았던 적이 있었다. 한 학년을 4 클래스로 나눴기 때문에 첫 번째 수업이 끝나고 예상치 못한 공격을 받았을 때, 스트레스를 받고 화도 났다. 다음 3번의 수업에서 같은 강의를 진행하려고 했는데, 화를 쏟아내며 공격받았다고 생각할 정도로 화를 받아내야 했기 때문이다. 내 지휘 안에 있는 동역자에게 받은 공격이어서 황당하기도 했다. 5분 정도 화내는 말을 듣고, 수업이 다 끝나지 않았으니 끝나고 말하자고 끊었다. 그와는 대화나 토론이 잘되지 않는 경우가 많았다.

그래도 코로나19 이후로 어쩔 수 없이 동역하지 못하게 되기 전까지, 동역하기 위해 최선을 다했다. 실제로 동역을 끝낼 수 있는 위치에 있었고 기회도 많았지만, 오히려 어려울 때마다 보호하며 동역하려고 노력했다. 내가 노력했던 이유는 함께하는 것이 하나님의 뜻이라고 생각했기 때문이다.

"목사님 우리가 미운 정 고운 정 다 가지고 있네요."라고 농담할 수 있을 정도로 격의가 없어졌다.

4) 신뢰할 수 없는 상관

작은 일에 욕심을 내는 상관과 함께하는 건 어려운 일이다. 현실에서 공은 내게로 문제는 네게로 돌리는 상관을 만날 수 있다. 약속한 것을 어기고 그 약속에 대해 말하면 화를 내고 조금이라도 더 이익을 챙기려고 거짓된 삶을 산다. 인신공격을 당한 적도 있었다.

나는 상관의 잘못에 대해서 모른척하지 않는 편이다. 물론 정중하게 잘못을 말하려고 노력하지만, 마음대로 하려는 상관에게 있어서 나는 편한 부하 직원이 아니다.

"이렇게 하면 이런 문제가 생길 겁니다. 이렇게 하지 말고 저렇게 하는 게 좋습니다."

상관이 내 말을 듣지 않아도 그 상관을 위해 문제가 생길 것들을 먼저 말하고 막으려 노력해왔다. 백번 말하면 두세 번 받아들여진 듯하니, 나는 윗사람을 설득하는 능력이 턱없이 부족한 사람이다.

다른 팀원이 상관이 위험한 상황에서 문제를 조언하는 나를 보며, 왜 그렇게 하느냐고 말한 적도 있었다. 팀 전체의 문제가 될 수 있기에 받아들이지 않아도 그로 인해 나를 미워하게 되더라도 조심스럽게 조언했다.

결국 그 상관은 퇴직했고, 퇴직한 이후에는 연락을 끊었다. 가능한 모든 이와 연합하려고 노력하지만 안되는 것은 하나님께 맡기고 다만 최선을 다하면 된다.

나와 맞는 능력 있고 안정적이며 탁월한 팀원들로 꾸려진 드림팀을 지휘하는 건 좋은 결과로 이어질 수 있는 확실한 방법일 것이다. 그러나 언제나 그런 팀원들과만 함께할 수 있는 축복이 모든 이에게 주어지지는 않는다.

다윗이 광야를 전전하며 사울을 피해 다녔을 때, 그에게 모인 사람들은 이스라엘에서 인정받지 못하거나 배척받고 적응하지 못한 이들이 많았다. 사회 부적응자라고 할 수 있는 이들이 고난을 함께 경험하며 다윗의 용사로 충성을 바치게 된다.

훌륭한 행정가, 좋은 리더는 나를 힘들게 하는 팀원들과 함께하며 그들의 아픔에 공감하고 장점을 만들어간다. 이 역전의 변화는 하나님을 의지하는 사람에게 주어지는 축복이다.

4. 기적을 이루는 행정

1) 내 뜻이야, 진호야!

"교수님들을 위한 기독교 영성 교육 프로그램을 만들어 주세요."

총장님의 호출을 받았다. 교수들을 위한 기독교 영성 훈련 프로그램을 만들고 교육하라는 요청을 받았다. 예산도 편성되지 않은 채 기획처와 총무처, 교무처를 돌아가며 프로그램을 설명했다.

교수님들은 부담스러운 과제를 해야 했다. 매일 큐티를 하고, 매주 한국 근현대사의 기독교 위인들에 대해 매주 독후감을 써야 했다. 영성 훈련에 참여한 교수님 중에는 교회를 다니지 않는 분들이 많았다. 영성 훈련을 기획했지만 어떻게 할지 막막했다. 영성 훈련에 대한 지시를 받고, 하나님께 기도했다.

"하나님, 이 일을 하기 싫어요. 학생 채플만 섬기면 안 되나요?"

이건 절대로 안 될 거라고 불평했던 내게 하나님께서 말씀하셨다.

"내 뜻이야. 진호야."

2) 미션 임파서블

영성 훈련이 누구나 담당하고 싶은 일이었다면, 성공할 것처럼 보이는 일이었다면 장담하건대 내게 맡겨지지 않았을 것이 분명했다. 그런데 어려운 상황이 아니었다면 내가 담당이 될 수 있었을까?

내가 열심히 하지 않아서 실패한 것은 아니라고 하나님께 따지고 싶은 마음으로 최선을 다했다. 나는 확실한 약자였으며, 조건도 부족하고 하나님이 할 수 있다는 믿음까지 없었다. 더 최악의 상황이 있을 수 있을까! 영성 훈련을 시작한 첫날, 26명의 교수님을 만났다. 처음으로 과제를 하고 큐티를 발표하는 교수님 중 한 분이 이렇게 말했다.

"저는 기독교인이 아니고 어쩔 수 없이 들어온 겁니다. 그래서 과제를 하지는 않겠습니다."

분위기가 싸늘해졌다. 그 뒤에 다른 분들이 과제를 발표했지만, 경직된 분위기는 풀리지 않았다.

"보세요. 하나님, 제가 안 될 거라고 했죠? 저 같아도 열심히 참여하지 않을 거예요. 영성 훈련을 맡기시려면 조금은 저를 높여주시고 나서 시작할 수 있게 해주셔야 하는 것 아닌가요? 학교에서 가장 낮은 제가 가장 높은 처장들에게 뭘 가르칠 수 있겠어요?"

절망적인 상황, 실패에 대한 굳은 믿음을 고백하며 한참 불평을 토해내자 마음이 풀렸다. 나는 세상의 평가와 판단을 뛰어넘어 일하시는 하나님을 믿을 수 없었다. 그래서 기도하고 또, 기도했다.

내가 영성 훈련을 하며 얻은 것 중에서, 가장 감사한 것은 고정관념이 깨진 것이다. 교회 안에서도 예배와 집회 등 여러 가지 프로그램을 기획했는데, 기획하며 익숙해진 것은 현재 마주한 문제를 정리하고 분석하여, 성공 조건을 늘리고 실패 조건을 줄이는 것이었다. 영성 훈련을 통해 나는 조건을 갖춰야 성공한다는 기획자이자 행정가로서의 고정관념이 깨졌다. 상황을 잘 분석했기에 내 생각과 예측으로 한계를 만들었다. 그러나 언제든 내가 틀릴 수 있다. 오히려 내 판단이 어긋나고, 고정관념이 깨질 때 불가능의 영역이 가능으로 바뀌는 혁신의 길이 열린다.

혼자서 악기를 옮기고 세팅하고 준비했지만, 드러내지 않아도 고생하며 섬기는 마음은 모두에게 전해졌다. 함께 고생한다는 동질감은 마음을 여는 중요한 열쇠가 되었다.

3) 변화의 시작

비전스쿨을 시작하고 4주 정도가 지나며, 참여하는 교수님들의 모습이 달라졌다. 매일 큐티를 하고 매주 한국 근현대사 기독교 위인들에 대한 독후감을 나누는 시간을 통해 참여했던 교수님들 서로가, 서로를 변화시켰다. 어려움을 나누고 삶 속에서 느낀 이야기를 나눌 수 있는 대상을 어떻게 표현할까? 친구다! 비전스쿨을 진행한 내가 대단한 사람일 필요가 없다. 함께 서로를 변화시키기 때문이다.

교수님 중에 비전스쿨을 통해 믿음의 열정이 불이 붙은 교수님들이 생겼다. 처장님 한 분이 새벽 4시에 큐티를 올리기 시작했다. 4시에 큐티를 올리기 위해서 3시에는 일어났을 것이다. 그 시각에 카톡 알림을 들으며 짜증 날 수도 있었는데 비난하는 분이 없었다. 참여한 교수님들이 큐티를 하며 직접 자기 삶을 돌아보고 성찰하면서 서로를 이해하고 친해지기 시작했다. 솔직한 생각을 나누는 것이 다른 교수님들에게로 이어졌다. '다른 교수님들도 이렇게 고

난을 이겨내고 있구나!'

성령님께서 피우신 열정에 불이 붙으며 서로를 위해 기도했던 것들이 하나둘 응답 되었다.

"목사님, 성경을 알고 싶어져서 히브리어와 헬라어 공부를 시작했어요."

비전스쿨을 시작할 때, "저는 기독교인이 아니고 어쩔 수 없이 들어온 겁니다. 과제를 하지는 않겠습니다."라고 말했던 교수님이 성경에 관심이 생겼다며 히브리어와 헬라어를 공부하기 시작했다는 고백을 들었을 때, 얼마나 감사했는지 모른다. 혼자 많이 울었다.

"내가 왜 목사가 되었지?"

사람들에게 인정받고 싶은 마음과, 뛰어난 목회자라는 자기만족을 채우려고 열심히 노력해온 내 모습을 돌아보았다. 하나님의 뜻이 내 삶에서 이뤄지기 위해 내가 뛰어난 기획자나 행정가, 담임목사가 될 필요가 없었다. 하나님은 사람의 도움 없이 스스로 그분의 뜻을 이루실 능력이 있으시다!

결론. 깨져야 열린다!

인도하시는 하나님의 신실하심을 믿고 주어진 상황에서 할 수 있는 것에 최선을 다하면 하나님께서 기적을 이루신다. 기적을 이루는 행정가는 탁월한 능력으로 상황을 반전시키는 하나님이다. 하나님은 오병이어를 드리는 우리의 삶을 통해 불가능을 변화시키시는 기적의 행정가다.

나와 성향이 다른 데, 자기주장이 강한 사람과 함께하는 것, 때로는 이해할 수 있는 다름이 아닌 허물을 품에 안아야 할 때가 있다. 그 과정에서 분명하게 알게 된 것은 내가 은혜로 산다는 사실이다. 누구보다도 내가 부족한 약자이며 누구나 함께하고 싶은 사람들과만 함께하려 한다면 내가 할 수 있는 영역은 줄어들 수밖에 없다는 사실이다. 상대적으로 선하고, 아무런 문제를 일으키지 않고, 다른 사람을 편하게 하고, 맡은 일 이상을 잘 해내는 사람들과만 내가 함께했다면 하나님께서 내 삶에서 이루신 것 중에 얼마나 이뤄질 수 있었을까?

맡겨진 사역 중에는 내가 할 수 없는 일들이 많다. 나와 같은 성향의 사람, 내가 편한 사람들은 내가 할 수 없는 일을 하지 못할 가능성이 크다. 그러나 나와 다른 성향의 사람, 다른 사람들이 함께하기를 힘들어하는 사람들이 내가 할 수 없는 일을 해내는 것을 보았다.

약자를 품에 안는 과정에서 배우는 것이 많다. 내가 다른 사람을 사랑하지 못하는 사람이라는 사실과 그러나 하나님을 통해서는 하나 될 수 있다는 사실이다. 그 과정에는 반드시 내 고집과 판단이 깨지고 하나님의 뜻이 내 삶으로 들어오는 고난과 연단의 시간이 필요하다. 하나님의 기적을 보고 싶다면 들어가기 싫고 두려운 바다로 걸어가야 한다. 그러면 내 감정대로 사는 것이 아니라 하나님의 뜻 안에서 사는 축복을 알게 된다.

감정적으로 부딪히고 함께 어려움을 이겨내는 과정에서 얻는 축복이 있다. 처음에는 함께하는 것이 힘들었지만, 품에 안은 뒤에는 누구보다 더 든든한 동역자이자 친구가 된다. 일단 신뢰를 얻으면 완전히 다른 사람으로 변하기도 한다. 문제를 일으킬 수 있다는 것은 그만큼의 에너지가 잠재되어 있다는 의미이다. 그 에너지를 그들의 장점으로 발산할 수 있도록 하나님의 품으로 인도한다면, 약자는 최고의 파트너가 된다. 그렇게 약자와 함께할 때, 하나님 나라가 넓어진다. 이것이 하나님께서 나를 인도하신 삶의 방향이다. 예수님은 상한 갈대를 꺾지 않으신다. 그래서 내가 꺾이지 않았다. 이 사실을 기억하며 다른 사람들의 아픔을 품에 안으려고 노력한다.

하나님 안에 살고 싶은가? 삶의 지경이 넓어지기를 바라는가? 그러면 걸어가지 않은 길을 향해 나가야 한다. 지금은 그렇게 하기 싫고 함께하기 싫어도 확실히 말할 수 있다. 하나님은 나를 가장 좋은 길로 인도하신다. 문제를 대면하라! 시작해라! 깨져라! 그래야 하나님이 빚으시는 내가 된다! 나라는 그릇이 깨진 틈새로 하나님은 세상을 바꾸는 기적의 빛을 비추신다. 당신은 하나님 안에서만 팀과 조직, 공동체를 살리는 리더가 될 수 있다!

"내가 깨져야 하나님이 열린다. 내 답이 깨져야 하나님의 답이 열린다. 문제 속에서 갈등이 커지면, 문제의 내용은 없어지고 부정적인 감정만 남는다. 내가 죽어야 그리스도가 산다."

에필로그

이대복 '작은도서관컨설팅전문가'

지금 시대의 교회 개척은 강심장이 아니고는 도저히 설립할 수 없습니다. 그러나 기존 교회의 패러다임에서 시대에 맞게 새롭게 전환한다면 승산이 있습니다. 개척 교회라고 할지라도 지역 사회에 예수 그리스도의 생명 공동체로서 선한 영향력을 나타낼 수 있습니다. 이에 한국교회에 조금이나 보탬이 되고자 본 글을 집필하게 되었습니다. 먼저 이 글을 집필할 수 있도록 허락하신 하나님께 영광을 돌리고 늘 예수님의 마음으로 지도해 주시는 강태평 교수님께 감사드립니다. 김진호 목사님을 비롯하여 늘 함께하는 행정학원우들에게 감사드리고 든든한 나의 동역자 아내 천연정 전도사에게 감사드립니다.

이상복 '한국교회세무행정전문세무사'

한국교회는 2018년 종교인 과세 시행과 더불어 사회 구성원 역할이 매우 증대되었습니다. 그렇기에 한국교회는 이제 세무 행정에 대하여 잘 알고 잘 대처를 하는 것이 아주 중요하게 되었습니다. 이에 한국교회에 조금이나마 보탬이 되고자 본글을 집필하게 되었습니다. 이글을 집필하는데 도움을 준 강태평 교수님, 김진호 목사님 등 모든 분에게 감사드리며 특히 하나님께 감사드립니다.

김인숙 '목회교류분석상담전문가'

백석대학교의 개혁주의 생명신학을 통해 `기독교 영성과 행정`에 대해 지도해주신 강태평 교수님께 감사드립니다. 하나님과 사람, 하나님과 자연과 사람, 사람과 사람을 연결하는 행정가로서 하나님의 백성들이 연합하여 하나 되게 하고 기도하게 하신 하나님께 기쁨으로 감사드립니다.

신재협 '기독교보호관찰행정가'

고난의 풀무불에서 연단하시며 항상 지켜주시는 하나님께 감사드립니다. 또한 개혁주의생명신학과 영의 행정을 생명 다해 전해주시는 강태평 교수님과 어려운 상황 속에서도 항상 나를 지지해주는 사랑하는 아내와 가족들, 함께 집필하며 응원하고 격려해 준 작가님들께 진심으로 감사드립니다.

유학곤 '인생2막컨설턴트'

인생 1막은 국가와 사회에 헌신했고, 2막은 자신의 부족함을 채우는 데 노력하면서 여행의 최종 목적지인 영원한 본향을 향한 인생 3막을 준비해야 하겠습니다. 부족한 가운데 내 글이 처음으로 책자로 나오게 되니, 모든 것에 감사드립니다.

강성구 '기독교행복경영전문가'

백석대학교 대학원 기독교전문대학교 행정학과 석사과정을 수강하면서 육의 행정에서 영의 행정으로, 첫 사람에서 둘째 사람으로, 땅의 것을 버리고 위의 것을 이루며, 겉 사람에서 속사람으로 깊은 신앙으로 지도 편달해 주신 강 태평 교수님과 행정으로 하나 되는 실천적 동행자인 대학원 동료분들과 특히 공저 출판에 응원해 주신 김진호 목사님께 감사드립니다. 말씀으로 재창조하는 과정에 한없는 십자가 복음으로 성화시켜 주시는 사랑의 하나님께 그리스도를 배우며 찬양과 기쁨을 드립니다.

심주형 ‘청소년사역전문가’

무엇보다 다음 세대를 사랑하는 데 있어서 영의 행정에 대해 지도해주신 강태평 교수님과 함께 집필한 작가 모두에게 감사드립니다. 영의 행정으로 다음 세대를 품고 나아가는 귀한 종이 되도록 노력하겠습니다. 모든 영광 하나님께 영광을 돌립니다.

秋재영 ‘기독교마음경영전문가’

10년이 넘는 기간 동안 신앙을 가르쳐 주시고 그리스도 행정이 무엇인지 알려주신 강태평 교수님께 먼저 감사를 드립니다. 그리고 함께 집필한 작가 모두에게도 감사 인사를 드립니다. 무엇보다 행정이라는 길을 통해 은혜와 사랑의 길을 누리게 해주신 하나님께 영광 올려드립니다.

김진호 ‘기독교대학행정전문가’

백석대학교의 개혁주의생명신학을 통해 학문이 아닌 하나님께서 다스리는 행정에 대해 지도해 주신 강태평 교수님께 감사드립니다. 함께 집필한 작가 모두와, 묵묵히 부족한 종의 모은 것을 지지하는 사랑하는 아내에게 감사합니다. 하나님과 사람, 사람과 사람을 연결하는 행정가로 부족한 종을 연단 하시는 하나님께 감사와 모든 영광을 돌립니다.

제 목 | **하나님의 나라를 회복하는 경영행정 스토리**
백석대학교 기독교 경영행정학과 Miracle Add-Minister

지은이 | 강태평 이대복 이상복 김인숙 신재협
유학곤 강성구 심주형 추재영 김진호

발 행 | 2023년 12월 10일
펴낸이 | 한건희
펴낸곳 | 주식회사 부크크
출판사등록 | 2014.07.15.(제2014-16호)
주 소 | 서울특별시 금천구 가산디지털1로 119 SK트윈타워 A동 305호
전 화 | 1670-8316
이메일 | info@bookk.co.kr

ISBN | 979-11-410-5841-8

www.bookk.co.kr